Girls Side
걸즈 사이드

시원찬은 그녀를 위한 육성방법

히로인

마루토 후미아키 지음

미사키 쿠레히토 일러스트

이승원 옮김

목차

시원찮은
용호(龍虎)를
위한 대면 방법

*Saenai heroine no
sodate-kata Girls side*

프롤로그

　방과 후의 시청각실에 스며드는 저녁노을이 아직 지긋지긋한 열기를 띠고 있는 9월 하순.

　"뭐가 어떻게 된 거야?! 이벤트 신의 전개가 원래 예정되어 있던 것과 완전히 딴판이 됐잖아!"

　……하지만 늦더위가 기승을 부리는 여름 방학 직후의 매미 울음소리에도 지지 않을 만큼 날카로운 노이즈가 평소와 마찬가지로 실내에 울려 퍼졌다.

　"카스미가오카 우타하! 이게 대체 어떻게 된 건지 설명해줄 거지?"

　그 목소리의 주인은 교실 중앙에 당당하게 선 채, 키가 작은데도 등을 꼿꼿이 세우고, 아예 없지는 않은 가슴을 쫙 펴더니, 압도적으로 눈에 띠는 금발 트윈 테일을 흔들면서 열심히 위압감을 자아내고 있는 여자애였다.

　"……이 정도의 사소한 시나리오 변경에 하나하나 보고, 연락, 상담이 필요한 거야?"

그 뒤를 이어 매미 울음소리조차 빨아들일 듯이 고요하게 쌓여있는 눈처럼 차갑고, 낮고, 그리고 조용한 목소리가 들렸다.

"나, 이번 일로 당신에게 폐를 끼쳤다고는 전혀, 완전히, 눈곱만큼도 생각하지 않아. 비유를 하자면 네 브래지어 안에 존재하는 패드 속에 잠들어 있는, 부풀려고 하다가 그대로 말라비틀어져버린 어느 부위만큼도 말이야."

"뭐?!"

아, 목소리는 몰라도, 인격은 눈처럼 새하얗지 않거든? 시꺼멓거든?

……뭐, 아무튼. 그 목소리의 주인은 교실 창가에서 팔짱을 낀 자세로 선 채, 눈에 띄는 가슴을 받쳐 올리고 은근슬쩍 눈에 띄는 흑발 롱헤어를 저녁노을 빛으로 물들여 자연스럽게 위압감을 자아내고 있는 여성이었다.

"응? 그렇게 생각하지 않아? 카와무라 스파이더 키라리 양?"

"멋대로 남의 이름을 날조하지 말라구! 그리고 나는 아직 그 캐릭터 명을 인정하지 않았단 말이야!"

방금 서로가 언급했다시피, 금발 소녀의 이름은 카와무라 스파이더 키라리. 그리고 흑발 여성의 이름은 카스미가오카 우타하라고 한다.

…………아, 실수했다. 금발 쪽은 사와무라 스펜서 에리리였지.

"한 번 더 묻겠어, 카스미가오카 우타하……. 왜 이렇게 대대적으로 시나리오를 뜯어고친 거야?"

"그 인식 자체가 잘못된 것 같네. 나는 미세한 튜닝을 했을 뿐이라고 생각하는데 말이야."

"유원지에서 발생하는 이벤트는 풀장과 귀신의 집, 이렇게 두 개 뿐이잖아? 그런데 왜 귀신의 집이 없어지고 관람차 이벤트가 추가된 거냐구!"

"그건 지금 있는 자료로도 어떻게 될 텐데? 딱히 당신한테 폐를 끼친 건 아니잖아."

"이미 끼쳤어! 모처럼 준비한 귀신의 집 배경이 쓸모없어졌잖아!"

으음, 그 이전에 이 일상…… 아니, 일촉즉발의 위기적 상황에 처한 우리는 현재 방과 후 서클 활동을 한창 하고 있는 중이다.

우리의 게임 제작 서클 『blessing software』는 동인 미소녀 게임을 제작해 겨울 코믹마켓에서 배포하겠다는 숭고한 목적을 이루기 위해 봄부터 계속 노력해왔다.

그리고 오늘은 2학기 첫 활동일이다.

각자가 자신의 성과물을 가지고 모여, 앞으로의 진행에 대해 검토하는 제작 회의 자리에서 한 시나리오에 대한 문제가 분출된 것이다.

뭐, 까놓고 말하자면 플롯에 있었던 이벤트가 하나 없어지고 없었던 이벤트가 하나 추가되었다.

"배경 하나가 쓸모없어진 것 가지고 너무 호들갑이네. 겨우 사진 몇 장 찍는 수고가 날아간 것뿐이잖아. 그것도 프로 레벨이 아니라, 아마추어 수준의 사진이면서."

"그것만이 아냐! 내 배경 스케치가 세 장이나 날아가버렸다구!"

"그건 사진만으로도 충분한 걸 멋대로 스케치 작업을 한 거잖아. 쓸데없이 손이 많이 가는 당신의 작업 방식에 문제가 있는 것 아닐까? 사와무라 양?"

"그 수고가 타협을 용납하지 않는 멋진 작품을 만든다구!"

"그럼 그 스케치 세 장도 좋은 작품을 위한 희생이라고 생각해."

"그것만은 안 돼! 『카스미가오카 우타하 때문에 헛수고를 했다』라는 지독하게 굴욕적인 사실이 내 모티베이션을 밑도 끝도 없이 떨어뜨린단 말이야!"

그리고 그 사실은 악영향을 받은 원화가가 분노에 사로잡히게 했고, 죄의식이 없는 시나리오라이터와의 말다툼을 발생시켰다.

뭐, 원래부터 사이가 나쁘기도 했지만, 게임 제작 같은 공동 작업 현장에서는 흔히 있는 일이니 신경 쓸 필요는 없다.

"그리고 나는 사와무라 양의 스케치를 헛되이 한 적 없어. 폐기될 뻔한 걸 이렇게 유용하게 활용해줬으니까 오히려 감사해줘야 하는 것 아닐까?"

"아앙? 그게 무슨 소리야?"

"관람차 신은 배경 소재 안에 존재했다는 말이야. 자, 봐."

우타하 선배는 에리리를 향해 한 장의 스케치를 내밀었고…….

"어, 어…… 어어어어어?!"

그 순간, 에리리의 얼굴이 새빨갛게 달아올랐다. 그리고 그 모습을 본 우타하 선배의 표정이 어둡게 변하더니, 아까와는 다른 의미에서 긴박한 분위기가 흐르기 시작했다.

"……역시 이 스케치는 너에게 있어 S레어 급의 시크릿이었나 보네."

"그거 대체 어디서 난 거야?!"

우타하 선배의 말대로 그것에는 관람차 창밖의 풍경이 그려져 있었다.

하늘과, 고층 빌딩과, 조그마한 언덕과, 저녁노을.

조그마한 박스 안에서 그런 커다란 세계를 응시하고 있는 듯한 몽환적인 광경.

그리고 그 박스 안에 그려진 한 소년.

"토, 토토토토, 토모야! 이 그림이 왜 카스미가오카 우타하의 손에 들어간 거야?!"

"어, 어~? 난 그걸 선배에게 준 기억도, 서버에 올린 기억도 없는데……."

그렇다. 그 그림에 그려진 소년은 바로 나다.

한 달 전, 에리리의 배경 자료 수집 작업을 돕기 위해 그녀와 함께 집 근처에 있는 유원지에 갔고, 우여곡절 끝에 또 사이가 틀어질 뻔 했지만…….

마지막에 탄 관람차 안에서 화해의 증표로 에리리가 그려 준, 안경을 벗은 나……를 모티프로 한 게임 주인공, 아즈미 세이지의 초상화였다.

……아~ 미안. 나, 아직 자기소개를 안 했구나.

서클 『blessing software』의 대표 겸 프로듀서 겸 디렉터.

즉, 이 두 사람의 상사이자 심부름꾼, 즉 생사여탈권을 『그녀들에게 잡힌』 토요가사키 학원 2학년, 아키 토모야.

"정말 경솔하네, 윤리 군……. 자신이 지난주에 얼마나 엄청난 시큐리티 홀을 열고 말았는지 아직도 깨닫지 못했구나."

"지난주? 지난주라면…… 아앗?!"

지난주는 여름방학 마지막 주였다.

「슬슬 새로운 배경이 필요하다」면서 우리 집을 찾은 우타하 선배에게, 나는 분명 「아, 배경 폴더 안에 들어 있으니까 직접 챙겨가요」라고 말했던 게 기억이 났다.

……확보된 그림 및 사진 파일이 정리되지 않은 채 뒤죽박죽으로 들어있는 컴퓨터를 손가락으로 가리키면서 말이다.

"토, 토, 토…… 토모야아아아~."

"미안해, 에리리!"

어떻게 된 일인지 눈치챈 에리리가 울먹거리면서 그렇게 외쳤지만, 이제는 어쩔 방법이 없다.

하필이면 가장 보여줘서는 안 되는 그림을, 가장 보여줘야만 하는 그림 사이에 보관해둔 것은 나의 치명적인 미스였다.

"딱히 윤리 군이 사과할 필요는 없고, 사와무라 양도 탄식을 터뜨릴 필요는 없다고 생각해. 왜냐면 이 세이지는 엄청 좋은 표정을 짓고 있잖아. ……누가 모델인지는 모르겠지만 말이야."

"모모모모, 모델 따위는 없어!"

"이런 멋진 그림을 보고 영감을 얻은 내가 관람차 이벤트를 쭉쭉 써내려가는 건 딱히 이상한 일이 아니라고 생각하는데?"

"하, 하지만, 이건, 이 그림은……."

"그리고 이건 내가 지정한 이벤트의 문장 콘티와 전혀 다른 그림이잖아. 이게 대체 어떻게 된 건지 설명해줄 거지? 사와무라 양."

"이, 이, 이 정도의 사소한 시나리오 변경에 하나하나 보고, 연락, 상담이 필요한 거야?!"

"아아, 정말! 그만해, 그만해, 그만해~!"

이러저러해서 오늘의 서클 활동 또한 거의 평소와 마찬가지로, 전혀 진척이 없었다…….

※ ※ ※

"결국 오늘 서클 활동도 평소와 마찬가지네, 아키 군."

"…………뭐, 그러네."

그리고 한 시간 후.

학교 부근에 있는 통나무집 느낌의 카페.

"일단 카스미가오카 선배의 시나리오도 진행되고 있는 것 같고, 사와무라 양의 그림도 스케줄대로 진행되고 있으니까, 아직은 걱정거리가 없네. 응, 순조로워."

"뭐, 정말 대단하긴 해……. 아까의 참상을 완전히 무시해 버리는 듯한 카토의 총괄 평가가 말이야."

그리고 현재, 나와 대화를 나누고 있는 이 목소리의 주인은 내 눈앞에 내추럴하게 앉아, 아무렇지 않게 커피 잔을 기울이며, 존재 자체가 이 가게에 매몰되고 있는, 위압감도 중압감도 존재감도 없는 쇼트 포니테일 소녀.

실은 아까도 시청각실 구석에 있었지만, 결국 처음부터 끝까지 한 마디도 하지 않으면서 멍한 표정으로 스마트폰을 만지작거리던 제3의 여자애.

우리 서클인 『blessing software』의 비밀병기이자, 아마 마지막까지 비밀로 남을 것으로 예상되는 내 동급생, 카토 메구미.

그리고 담당은 메인 히로인…… 그것을 담당한 이가 게임 제작에 있어 어떤 역할을 맡는지는 현재까지 명확하지 않다.

"뭐, 그 두 사람이 그러는 건 이 서클의 구조적으로 볼 때 어쩔 수 없는 거잖아."

"그래도 이제 반년이 지났으니 슬슬 친해질 때도 됐잖아. 같은 목적을 가지고 사력을 다하고 있는 동료니까 말이야."

봄에 결성된 우리 서클은 현재 서클명도 정했으며, 겨울 코믹마켓 신청도 끝냈다. 즉, 팀이 하나가 되어 최선을 다하고 있는 것은 분명하지만, 그래도 일부 지역에서는 내전이 종식될 기미가 현재까지 보이질 않는다.

"하지만 그 두 사람은 지금까지 사력을 다해 서로를 밀어내기 위해 다퉈온 역사를 지니고 있는 듯한 느낌이 들지 않는 건 아닌 데다, 그 싸움은 지금도 계속되고 있는 듯한 느낌이 들지 않는 것도 아냐."

그런 과격파들의 현재 상황에 깊은 우려를 가지고 있는 나를 곁눈질하면서, 이 서클 최고의 온건파인 카토는 딱히 우려하지도 않으면서 커피와 함께 나온 콩을 오독오독 씹어 먹었다.

……이럴 때, 중립인 파벌은 다른 파벌들이 관계 회복을 할 수 있도록 동분서주해야 하는 거 아냐?

"그런데 카토."

"왜? 아키 군."

뭐, 그런 의미 없는 소리를 해봤자 소용 없다고 생각한 나는 화제를 살짝 돌렸다.

그렇다. 아주 약간 과거로 말이다.

"그 두 사람은 언제, 어떻게 알고 지내게 된 걸까?"

"……."

나의 자연스럽기 그지없는 화제 전환에 따라오지 못했는지 카토는 콩을 씹어 먹고 있던 입을 멈췄다.

"그 두 사람은 올봄에 내가 한 자리로 부르기 전부터 알고 지냈던 것 같아. 그리고 그때부터 서로를 마구 적대시하더라고."

"……."

내가 그렇게 말한 순간, 카토의 표정에서 멍한 느낌이 아주 약간 사라졌다.

그것은 뭐랄까, 어이없음과 연민이 섞인 듯한, 그리고 미묘하게 경멸이 존재하는 표정이었다.

"왜 그래?"

"으음, 아키 군은 정말 그 자초지종을 알고 싶은 거야?"

"아니, 그러니까, 약간 흥미가 있긴 해."

"약간의 호기심에 열어봐도 되는 판도라의 상자가 아닐 것 같은데 말이야."

"저기, 카토. 상자에 그 고유명사를 붙이는 건 여러모로 좀 그렇다고 생각하거든?"

그리고 그 연민 어린 시선이 천천히 테이블을 향하더니, 이 번에는 모 괴담 전문 연예인처럼 불안과 공포를 자아내는 음산한 표정을 지으며 나를 쳐다보았다.

"아키 군, 한 번 더 물을게……. 정말, 그때 일을 알아도 괜찮겠어? 무슨 일이 일어나더라도 사실을 사실 그대로 받아들일 거지?"

"너, 너…… 혹시, 그 두 사람한테서 무슨 이야기라도 들은 거야?"

"아니, 아무 것도 못 들었고, 아무 것도 모르고, 알고 싶지도 않아. 왜냐하면 들었다간 여러모로 골치 아파질 게 뻔하거든."

"그럼 그런 의미심장한 소리 좀 하지 말아줄래?!"

자, 이제부터 시작되는 것은 『내가 모르는 세계』의 이야기.

……혹은 『내가 몰랐으면 좋았을 세계』의 이야기.

즉, 내가 모르는 이야기이니 이야기꾼 역할을 나 이외의 다른 『누군가』에게 바통 터치할까 한다.

그래서 평소와 여러모로 다른 부분이 있겠지만, 이야기를 듣는 쪽은 그런 건 개의치 않으며 평소처럼 어울려줬으면 한다.

ACT1

카스미가오카 우타하

1년 전, 9월 중순―.

2학기가 시작되고 얼마 지나지 않은 시기의 도서실은 방과 후가 되어도 예전처럼 시끌벅적하지 않았다.

아니, 시끌벅적하다는 표현에는 어폐가 있을지도 모른다. 하지만 평소 같으면 수험 공부를 하기 위해 몰려든 3학년들이 책을 넘기는 소리나 연필을 놀리는 소리가 들리겠지만, 오늘은 그런 소리가 전혀 들리지 않았다.

"정말 있네……."

그렇기 때문에 어떤 책장 앞에 서있는 한 소녀의 중얼거림은 매우 작았는데도 불구하고 넓은 도서실 전체에 울려 퍼졌다.

"그것도 전부 두 권씩…… 바보 아냐?"

2학년 D반, 카스미가오카 우타하.

1학년 때부터 항상 전교 1등의 자리를 지켜온 토요가사키 학원 제일의 수재이자, 전(前) 토요가사키 학원 넘버원 미소녀.

그리고 올해부터 토요가사키 학원 『2대』 미소녀로 격하되었다는 소문이 돌고 있는 그녀는 주위의 몇 안 되는 학생들을 전혀 개의치 않으며 책장에 놓인 책을 열심히 읽기 시작했다.

"카스미가오카 양?"
"……."
"저기, 카스미가오카 양."
"……어?"
그리고 한 시간 후.
시간 가는 걸 잊은 채 독서에 몰두해 있던 우타하는 자신을 향한 누군가의 목소리를 듣고 고개를 돌렸다.
"저기, 폐관 시간이 다 됐어……."
"아."
그 말을 듣고 주위를 둘러보니, 눈앞에는 조심스러운 눈빛으로 자신을 올려다보는 안경 낀 소녀가 있었다.
그리고 그녀 외에는 아무도 없는 실내의 광경이 눈에 들어왔다.
그 뿐만 아니라, 이 실내 또한 어느새 석양에 물들어 있었으며, 자신이 어떻게 책을 읽고 있었던 것인지 의문일 만큼 주위가 어두웠다.

"그건 그렇고 카스미가오카 양이 도서실에 온 건 정말 오래간만이네."

"얼추 1년 만일 거야. 여기 책은 입학하고 반 년 만에 대부분 다 읽었거든."

"그, 그랬구나. 소문대로 엄청난 독서가네."

"그렇지도 않아. 좀 심심했던 것뿐이야. ……작년까지는 말이야."

"아, 그러고 보니 연극부의 각본을 담당한다면서? 엄청 평판이 좋다고 들었어."

카운터로 이동해 도서대여 수속을 하는 사이, 안경 낀 그녀는 여전히 조심스러운 눈빛을 띤 채 우타하에게 계속 말을 건네고 있었다.

"뭐, 그것도 심심풀이 삼아 한 거지만, 조금 시기가 맞지 않았던 것 같아."

"시기라니?"

"마감이라든가, 연재라든가…… 뭐, 신경 쓰지 마."

"응? 흐음."

하지만 그녀가 그런 태도를 취하는 것도 무리는 아니었다.

입학하교 반 년 동안 이룩한 전설 때문에 『암흑미녀』나 『흑발 롱헤어 설녀(雪女)』라고 불리는 우타하의 평소 언동을 아는 사람은, 이렇게 말수 많고 기분 좋아 보이는 우타하는 처음 봤을 테니까 말이다.

"그럼 반납 기한은 일주일 후야. 잘 부탁해."

"아, 고마워. 으음………… 저기……."

"⋯⋯2학년 D반, 사카구치 마스미야."

"⋯⋯고마워, 사카구치 양."

그렇다. 설령 같은 반에서 반 년 넘게 매일같이 얼굴을 마주한 이라도 말이다.

"그건 그렇고 의외야."

"뭐가 말이야?"

"카스미가오카 양은 이런 책도 보는구나."

"⋯⋯응."

꽤 친해진(그렇게 착각하고 있는) 도서위원인 마스미는 우타하에게 자신이라는 존재를 인상에 남기기 위해 그녀가 빌린 책을 화제로 삼았다.

눈앞에 있는 도서카드에 『사랑에 빠진 메트로놈』이라고 적힌 바로 그 라이트노벨을 말이다.

"그러고 보니 이 책은 지난주에 들어온 건데, 도서위원들 사이에서는 그전부터 꽤 화제가 되었어."

"그, 그랬구나."

"1학년에, 그, 이름이 뭐였더라? 유명한 오타쿠 남자애 말이야."

"아키 토모야."

"뭐?"

"⋯⋯미안. 모르겠어. 나, 사람 이름을 잘 외우지 못하거든."

"아, 그, 그렇구나⋯⋯. 아무튼, 그 남자애가 몇 번이나 선생님을 찾아와서 『이런 명작이 학교 추천 도서가 아닌 게 말이 안 된다』는 둥 『장래의 나오키상 작가의 작품이니까 당연히 학교 도서실에 비치해야 한다』 같은 소리를 하면서 마구 추천을 해댔다니깐……."

"그, 그, 그랬구나……."

……본인에게 얼추 듣기는 했지만, 이렇게 타인을 통해 들으니 부끄러움 또한 곱절이 되었다. 그 정도로 칭찬 퍼레이드였던 것이다.

『도, 도서실에? 「사랑에 빠진 메트로놈」이?』

『예! 9월에 겨우겨우 들어온다고요!』

『……토모야 군, 너 이번에는 또 무슨 짓을 한 거야?』

『아, 아무 짓도 안 했는데요~?』

『아무 짓도 안 했는데, 학교 도서실에 라이트노벨이 비치될 리가 없잖아?』

『으음~, 「가프스 전기」라든가 「지라이어즈」는 전권 비치되어 있는데요?』

『레전드와 비교하면 어쩌자는 거야. 나는 신인 작가에 책도 2권밖에 안 냈어. 게다가 그 책도 언제 조기 완결될지 모르는 데뷔작이란 말이야.』

『이야~, 우리 학교도 선견지명이 있는 것 같아요~. 장래의 나오키상 수상 작가의 책을 이렇게 빨리 구비했잖아요.』

『……알았어. 즉, 그런 말로 학교 측을 설득한 거지?』

『……선배, 가만히 있어도 좋은 작품이 팔리는 시대는 이미

지났어요.』

『그 말은, 진짜로 그런 짓을 한 거네?』

『지금은 그 어떤 명작일지라도 홍보를 해야 한다고요! 설령 아무리 스토리가 멋지고 캐릭터가 끝내주며, 스무 번 넘게 읽었는데도 여전히 눈물이 줄줄 나는 작품이더라도, 우선 독자들이 접하지 않으면 말짱 꽝이라고요!』

『우, 우와아…… 알았으니까 이제 그만해.』

『아뇨. 계속 할 거예요. 몇 번이든 말해주겠어요. 카스미 우타코의 「사랑에 빠진 메트로놈」은 초 걸작이에요! 이걸 읽지 않는 녀석은 인생의 120퍼센트를 손해보고 있다고요! 그러니까 나는 눈곱만큼의 주저도 없이 이 책을 포교할 수 있어요!』

『……너, 광신도 같은 눈빛을 띠고 있어.』

"으~~~."

"카, 카스미가오카 양?"

"응?"

"바, 방금……."

"……무슨 일 있었어?"

"뭐랄까, 엄청……."

"……무슨, 일, 있었, 어?"

"아, 아무것도 아냐……!"

엄청 티가 나게 태연함을 가장하면서 거무튀튀한 압박감을 뿜어내는 우타하를, 마스미는 무시무시한 괴물이라도 본 것처럼 겁먹은 얼굴로 쳐다봤다.

……이것으로 이때 우타하가 대체 어떤 표정을 짓고 있었는지 말하고 다닐 사람은 없어진 것이다.

"그럼 나는 이만 가볼게."

"으, 응…… 잘 가, 카스미가오카 양."

그리고 우타하는 소용돌이치고 있는 감정을 억누르듯 천천히 숨을 내쉰 후 뒤돌아서 문으로 향했다.

집에도 다섯 권이나 있는 책을 언제 반납하면 좋을까, 라는 영문 모를 고민을 하면서 말이다.

"……어머?"

"이번에는 또 무슨 일이야?"

두세 걸음 정도 내디뎠을 즈음, 도서 카드를 정리하던 마스미가 약간 놀란 목소리를 냈다.

"아, 미안해. 그냥 혼잣말이야. ……이 책, 역시 인기가 있나 보네."

"그게 무슨 소리야?"

"아직 들어온 지 일주일밖에 안 되었는데 카스미가오카 양이 세 번째로 이 책을 빌려가는 사람이야."

"뭐……?"

※　※　※

우타하가 도서실을 나와 보니, 북쪽에 있는 복도는 더욱 짙은 어둠이 드리워져 있었다.

시계를 보니 이미 여섯 시가 지나 있었다.

땅거미가 드리워진 교내에서는 사람의 기척이 느껴지지 않았다. 복도 끝에서 뭔가가 빛을 반사하고 있는지 그림자가 흔들리고 있는 이곳은 인간 이외의 존재가 존재할 것만 같은 비현실적인 느낌을 지니고 있었다.

하지만 미스터리나 호러에서 가장 주목되는 포인트는 등장인물들의 죽는 순서라고 생각하고 있는 특이한 독서가, 우타하에게 있어 이 비현실적인 느낌은 공포를 상기시키는 것이 아니었다.

아니, 현재 우타하는 방금 접하게 된 고난이도 문제 때문에 골머리를 썩고 있었기에, 저녁노을에 특별한 감정을 부여할 여유가 없다는 편이 정답일지도 모른다.

"세 번째 독자, 라."

카스미 우타코…… 카스미가오카 우타하의 작품인 『사랑에 빠진 메트로놈』이 도서실에 비치되자마자 빌린 사람이 이 토요가사키 학원에 세 명이나 있다고 한다.

한 명은 자신이니까 제외한다.

다른 한 명인 열광적인 팬이 빌려갔을 거라는 사실도 쉬이 짐작이 되었다.

하지만 마지막 한 명, 우타하가 빌리기 직전에 이 책을 빌렸던 두 번째 인물의 이름이, 자신이 쓴 작품의 독자들이 지닌 이미지와 너무 동떨어져 있었다.

그도 그럴 것이 그 인물이 라이트노벨, 그것도 평범한 연애물을 읽는다는 것은, 풍문을 통해 알고 있는 그 인물의 이미지와 너무 괴리감이 있었기 때문이다.

입학 직후 전람회에서 입상한 미술부의 슈퍼 루키.

토요가사키 학원『2대』미소녀 중 한 명.

그리고 초 상류층 영국 외교관의 무남독녀.

어디까지가 진실인지도 알 수 없는 거대하기 그지없는 이미지가 홀로 걸어 다니고 있는 듯한, 교내에서 손꼽히는 화제의 인물.

그녀에게는 자신과 겹치는 직함이 있기는 했다. 하지만『사랑에 빠진 메트로놈』과는, 카스미 우타코와는, 그리고 카스미가오카 우타하와는 접점이 없었기에, 우타하의 마음속에 존재하는 의문은 의미 없이 깊어만 가고 있었다.

'다른 사람도 아니고 그녀……'

'―― ―― ――가, 왜 내가 쓴 라이트노벨을……?'

"당신이 카스미가오카 우타하?"

우타하가 더욱 깊은 생각의 늪으로 빠져드려는 순간, 그녀를 현실로 끌어내는 듯한, 약간 새되면서도 맑은 목소리가 들려왔다.

느닷없이―.

그것도 위쪽에서 말이다.

"읔?!"

우타하는 목소리가 들려온 곳을 올려다봤지만, 너무 눈이 부신 탓에 눈을 가늘게 뜰 수밖에 없었다.

그도 그럴 것이, 그녀는 계단 앞에 서있었던 것이다.

복도 남쪽에 있는 계단의 층계참으로 오늘의 마지막 석양이 쏟아지더니…… 그 희미한 빛이 어떤 『섬세한 금세공품』에 찬란히 반사되며 우타하의 눈을 부시게 만들었다.

그렇다. 그것은 바로 황금색으로 빛나는 머리카락이었다.

그 사람은 토요가사키 학원 학생이라면 누구나 알고 있는…….

타인에게 전혀 흥미가 없는 카스미가오카 우타하조차도 얼굴과 이름을 알고 있는 예외 중의 예외.

"사와무라 스펜서 에리리…… 양?"

ACT2

1st contact

"흐음, 제 이름을 아는 군요. ······정말 영광이에요, 카스미가오카 우타하······ 아니, 카스미가오카 선배."

그 맑은 목소리와 석양을 받아 빛나고 있는 황금색 머리카락이 조화를 이룬 순간, 우타하는 지금 자신이 있는 세계의 현실감이 옅어져가는 것을 느꼈다.

그 목소리가, 외모가, 이 상황이, 라이트노벨 안에서도 흔히 볼 수 없을 만큼 멋진 장면을 자아내고 있었기 때문이다.

"저도 당신을 알아요······. 전교 1등 자리를 항상 지키고 있는 수재이자, 남들이 다가오는 것을 거부하는 냉혈녀. 그 어떤 남자가 다가와도 절대 아는 척 하지 않을 뿐만 아니라, 두 번 다시 말 걸 생각이 들지 않을 만큼 박살을 내주는, 통칭 암흑미녀."

"······그게 뭐 어쨌다는 거지?"

"아, 그러니까······ 선배가 얼마나 대단한 사람인지 조금 흥미가 생겨서요."

하지만 그녀의 언동은 이런 아름다운 등장 신을 말짱 꽝으로 만들 만큼 강렬한 악의로 가득 차 있었다.

그것은 사와무라 에리리라는 소녀의 지적대로, 우타하 자신도 『과거에는』 악의 덩어리였다는 자각을 지니고 있기에 명확하게 느낄 수 있었다.

아니, 우타하조차도 이렇게 전형적인 악의를 느끼는 경우는 드물었다.

'이 애, 나와, 으음~, 한 판 뜰 생각인 걸까?'

그래서 우타하는 여전히 현실감을 느끼지 못한 채, 마치 집필을 하듯 앞으로의 전개를 예상하기 시작했다.

'그렇다면 다음에 그녀가 할 말은 이런 거겠지. ……『토요가사키 2대 미녀는 두 명이나 필요 없어』……으음, 하지만 이건 표현적으로 볼 때 좀 이상하네.'

"후훗."

"으…… 왜 웃는 거죠?"

"아. 미안해, 사와무라 양. 조금 딴 생각을 했어."

자신이 꽤나 어이없는 생각을 하고 있다는 사실을 깨달은 우타하는 평소 버릇대로 입술 가장자리를 말아 올렸다. 그리고 그 표정 그대로 상대를 도발하는 듯한 태도를 취하면서 사과했다.

'그래……. 우리 학교의 마돈나는 이런 전형적인 아가씨였구나.'

'내 작품에도 이렇게까지 단순명쾌하고 마지막에 결국 꽁지

내린 개가 되고 마는 캐릭터는 나오지 않아.'

……결국, 마음속으로는 또 이런 어이없는 생각을 하고 있었지만 말이다.

그도 그럴 것이, 타인의 평가를 전혀 개의치 않는 우타하로서는 상대가 그런 아무래도 상관없는 걸로 싸움을 걸어온 것이라면 완전 김새는 일이었다.

게다가 상대는 교내 제일의 미소녀이며, 누구나 다 부러워하는 부잣집 아가씨. 게다가 우타하가 쓴 작품의 독자라는 특수한 흥미 대상이었기에 더 극심하게 낙담하고 말았다.

"그리고 하나 더 사과할게. 나는 네가 관심을 가질 만큼 대단한 인간이 아냐."

작년의 우타하라면 틀림없이 지금 바로 전투 모드에 들어갔을 것이다.

에리리라는 소녀가 방금 말한 대로의 태도를 취하며, 은근히 무례하게 도발을 하고, 상대를 완벽하게 밟아준 후, 『토요가사키 1대 미녀』라는 칭호를 이 겉멋만 든 아가씨에게 점잔빼면서 줬을 것이다.

"그렇지 않을 텐데요? 1학년 남자애들 중에, 심지어 여자애들 중에서도 선배를 동경하는 애는 꽤 많아요."

"당신만큼은 아닐 거야, 사와무라 양. 당신이 올해 우리 학교에 입학한 후, 학교 전체가 당신에 대한 소문으로 시끌벅적했잖아."

하지만 우타하는 현재 에리리가 맥 빠져 할 만큼 간단히 후퇴라는 길을 선택했다.

"지금은 저에 대한 이야기 같은 건 아무래도 상관없잖아요? 그것보다 당신의……."

"나에 대한 이야기도 아무래도 상관없어. ……미안하지만, 나는 이만 가볼게."

왜냐하면 우타하는 그런 살벌한 이벤트에 시간과 에너지를 소비할 여유가 없었다.

그것보다 중요한 것이 있기 때문이다.

'으음, 돌아가면 3권 플롯과 언데드매거진에 실릴 단편 교정…… 아, 모 사이트 체크와 모 사이트 관리인과의 회의도…….'

창작하고, 발표하며, 그리고 그 성과에 대해 이야기한다…….

그런 행복한 시간에 자신의 모든 리소스를 할애하고 싶다.

그런 행복한 미래를 생각하던 우타하는 이 시점에서부터 『암흑미녀』와는 멀어져가고 있었다.

"아뇨. 제 이야기는 이제부터예요. 저는 오늘, 당신에게 충고를 하러 왔어요. 카스미가오카 우타하 선배."

"충고……?"

하지만 상대는 우타하가 아무리 정중하게 저자세로 나오더라도 전혀 물러서려는 기색을 보이지 않았다.

……뭐, 작가면서도 정중이나 저자세라는 말의 의미를 약간 착각하고 있는 우타하한테도 문제가 없는 것은 아니지만 말이다.

"당신 같은 사람이 시원찮은 오타쿠 남자 후배와 친하게 지내는 것은 여러모로 문제가 있지 않을까요?"

"……뭐?"

그리고 말괄량이 금발 아가씨는 자신의 진가를 드러내듯 우타하가 예상도 하지 못한 폭탄을 투하했다.

"제 눈으로 똑똑히 봤어요. ……여름 방학 전, 당신이 토모…… 1학년 남자애와, 도서실에서 한 시간 넘게 이야기를 나누는 모습을요……."

"아……."

그 시기와 장소를 들은 우타하는 확실히 짐작 가는 바가 있었다.

도서실에 『그 책』이 비치되는 것이 결정된 날이었다.

평소 같으면 교내에서 대화를 나누지 않겠지만, 그 날만은 오타쿠 남자 후배…… 아키 토모야의 억지스러운 행동에 어이없어하면서도, 왠지 기분이 좋았던 것이다.

뭐, 우타하 본인은 10분도 채 되지 않았다고 생각했던 시간이, 생각보다 길었던 정도가 아닌 6배 이상이었다는 사실은 납득이 되지 않지만 말이다.

"지금까지는 그 어떤 남자한테도 관심이 없었잖아. ……그런데, 왜……."

"…………그게 뭐 어쨌다는 거야?"

그 순간, 우타하의 목소리와 주위의 온도가 단숨에 영하로 내려갔다.

작년에 붙은 『흑발 롱헤어 설녀』라는 별명에 어울리는 아우라를 두른, 자신에게 쓸데없는 간섭을 하려고 하는 상대를 얼음 덩어리로 만들어 버리는 전투 모드 우타하가 현현된 것이다.

"거, 거봐. 역시, 알려지면 곤란한 거지? 그런 바보와 그렇고 그런 사이라는 오해를 사는 건, 너한테 있어서도 득 될 건 없잖아."

에리리의 말은 우타하의 귀에 들어가지 않았다.

"그럴 거야……. 오타쿠에, 시원찮을 뿐만 아니라, 오타쿠에, 바보에, 오타쿠에, 억지스러운 녀석에, 같이 하교하다가 소문이라도 돌면 부끄러울 거라구."

아니, 그 말들을 온몸으로 받아들인 후, 모든 공격을 곱절로 돌려주기 위해 힘을 모으고 있는 상태에 돌입해 있었다.

"별로. 나는 무슨 말을 들어도 상관없어……."

그래서 어느새 상대의 말이 전부 논리적으로 파탄이 나있으며, 단순한 애들 험담이나 다름없다는 사실 또한 깨닫지 못했다.

"하지만, 토모…… 나의, 으음, 그러니까, 지인에게 피해를 주는 것만큼은 두고 볼 수 없어."

참고로 자신의 반론 또한 어린애 변명 같다는 사실 또한, 물론 깨닫지 못했다.

"……"

"……."

당초의 몽환적인 만남과는 달리, 어린애 혹은 여자끼리 다투기라도 하듯 유치한 눈싸움이 잠시 동안 계속되고…….

이윽고 에리리는「아무래도 비장의 카드를 쓸 때가 온 것 같네」라고 말하듯 훗 하고 미소 짓더니, 우타하를 향해 한 걸음, 두 걸음 다가왔다.

"……『사랑에 빠진 메트로놈』이었지?"

"윽……."

그리고 코앞에 있는 에리리의 입에서 흘러나온 언령(言靈)은 우타하에게 대미지를 줄 수 있을 정도의 힘을 지니고 있었다.

"너희 둘, 실은 오타쿠 동료 사이였구나……. 의외였어. 카스미가오카 우타하가 라이트노벨을 읽을 줄은 몰랐다니깐."

바로 그때, 우타하는 눈앞에 있는 아가씨가『사랑에 빠진 메트로놈』을 일부러 도서실에서 빌린 이유를 알 것 같았다.

즉, 작품에 흥미가 있는 것이 아니라, 그저 자신의 약점을 찾기 위해서였던 것이다.

"뭐, 딱히 나쁜 건 아냐. 사람마다 취미는 다 다르고 지금은 오타쿠도 그렇게 드물지 않잖아."

아까, 자신이 이 책을 빌린 탓에 그녀의 추측은 확신으로 변한 것이다.

"하지만 그 바보만은 그냥 놔두면 안 될까? 너에게 있어서는 아무런 메리트도 없을 뿐만 아니라, 그런 애와 같이 다니면 네 평판만 떨어질 거라 생각하는데?"

"……사와무라 양은 괜한 수고를 들이는 걸 좋아하나 보네. 쓸데없이 사실여부를 나한테 직접 확인하지 말고, 괴문서를 뿌린다든가 소문을 퍼뜨려서 나한테 대미지를 주면 되지 않아?"

"아까도 말했지? 나는 너를 상처 입힐 생각은 없어. 그저 상처가 깊어지기 전에 관두라고 충고하고 싶을 뿐이야."

"당신한테 그런 걱정을 받을 이유는 없어."

"……그게 무슨 소리야? 혹시 오해가 아니라고 우기려는 거야?"

"그런 건 아냐. 그저 당신에게 할 이야기가 없다는 거야."

두 사람은 불온한 태도를 감추려고도 하지 않으면서 격렬하게 서로를 노려보았다.

"자신의 지금 포지션을 버리면서까지 사랑메트 클러스터를 선택하겠다는 거야?!"

"……잘 들어, 사와무라 에리리. 나는 평판이나 소문, 그리고 남들이 나를 어떻게 생각하는지 같은 것에는 전혀 관심이 없어."

「그 이전에 사랑메트 클러스터는 대체 뭐야?」 라는 생각도 들었지만, 그것보다도 마음속에서 끓어오르는 뜨거운 감정이 우타하를 폭주하게 만들었다.

"남들이 어떻게 생각하는지에 관심이 없다면, 일개 오타쿠에게 구애될 이유도 없잖아!"

"……당신은 이해하지 못할 거야. 영원히 말이야."

"……그게 무슨 말이야?"

"겉모습만 꾸며대고, 거짓 미소를 지어대며, 본심조차 말할 수 없는 친구라는 이름의 들러리를 데리고 다닐 줄 밖에 모르는 당신은 이해하지 못할 거라는 말이야."

"윽~~~!"

그리고 폭주한 나머지 상대에 대해 잘 알지도 못하면서 적당히 뱉은 그 말은…….

"당신과 그 사이에도 아무런 접점도 없잖아? 당신이 나를 싫어하는 건 상관없어. 하지만 나를 싫어한다고 해서 그까지 나쁘게 말하는 건 용서할 수 없어."

당사자인 우타하조차 깨닫지 못한 사이에, 상대의 급소와 역린을 동시에 찔렀다.

"……그 오타쿠를, 좋아하는 거야?"

"그런 이원론으로만 구분하려고 하는 속물보다는 훨씬 호감을 가는 사람이야."

그렇기 때문에 이미 승부는 갈렸다.

그런데도 묘한 거북함을 느끼며 입맛이 씁쓸한 것은, 겨우 5초 만에 꽁지 내린 개가 되어버린 상대의 표정이 묘하게 마음에 남았기에…….

순간, 라이트노벨 히로인으로서의 반짝임이 느껴졌기에…….

"그럼 이번에야말로 안녕."

우타하는 에리리를 두고 계단을 내려갔다.

그녀의 마음속에는 아까 느낀 고양감은 존재하지 않았다. 그저 지금은 약간의 후회와, 일말의 불안이 존재했다.

왠지 모르겠지만, 지금 바로 에리리에게서 멀어지고 싶었다.

"토모야는…… 너한테 관심이 있는 게 아냐."

"뭐……."

그렇다. 그 말의 뒷내용을 듣고 싶지 않았기 때문이다.

"그저, 동료를 소중히 여기는 것뿐이야."

그녀가 자신이 모르는 무언가를 알고 있다는 명백한 징후에 두려움을 느꼈기에…….

"함께 같은 작품을 좋아하고, 즐기고, 이야기하고…… 항상 오타쿠로서 곁에 있어주는 친구를 원하는 것뿐이라구."

"……사와무라 양, 이미 이야기는 끝났다고 했을 텐데?"

그리고 에리리가 하는 말을 들은 우타하는 격렬하게 동요하고 말았다.

왜냐하면, 그와 시간을 보내면서 느낀 희미한 위화감을, 그녀가 정확하게 지적하고 있었기 때문이다.

"토모야가 관심이 있는 건, 작품의 등장인물과 작가뿐이야."

"윽……."

그리고 이렇게까지 몰렸기에…….

우타하는 에리리가 보인 미세한 빈틈을 노렸다.

"그러니, 팬들끼리 사이좋게 지낸들……."

"그러고 보니 아직 사와무라 양에게 자기소개를 하지 않았네."

"뭐?"

"나는 2학년 D반 카스미가오카 우타하……. 그리고 내 펜네임은『카스미 우타코』야. 앞으로도 잘 부탁해."

"뭐, 뭐, 뭐…… 뭐어어어어어어?!"

그 고백이 처절한 자폭 공격이라는 사실을 깜빡한 채 말이다.

ACT3

사와무라 스펜서 에리리

"우, 우, 우…… 우와아아아~!"

그 역사적 해후…… 아니, 전쟁 발발이 벌어진 해질녘으로부터 한 시간 후.

비틀거리면서 겨우 집으로 돌아온 금발 트윈 테일 소녀는 침대에 드러눕더니 손발을 마구 버둥거리면서 괴성을 질렀다.

1학년 F반, 사와무라 스펜서 에리리.

입학하자마자 여러 선배들을 제치고 현에서 주최한 전람회에서 입상한 미술부의 루키이자 에이스, 그리고 현재 토요가사키 학원 넘버원 미소녀.

"왜? 왜! 왜 우리 학교에 카스미 우타코가 있는 건데에에에~?!"

……라는 것이 지금 이 장소와 이 모습을 모르는 사람들에 의해 굳혀진, 세간의 평판이다.

부잣집 딸이라는 소문은 사실이다. 열 평은 되어 보이는 커다란 방과 눈부신 조명, 그리고 세세한 부분까지 장식 되어 있는 부드러워 보이는 융단.

　……그리고 부잣집이라는 건 그렇다 쳐도 숙녀라는 소문은 거짓이라는 사실을 증명하듯, 이 방 안에는 엄청난 양의 만화, 애니메이션, 게임들이 쌓여 있었다.

　참고로 방금 그『쌓여 있었다』라는 표현은『사두기는 했지만 플레이하지 않았다』라는 의미의 오타쿠 용어가 아니다. ……아마도 말이다.

　그렇다. 이 방의 주인인 사와무라 스펜서 에리리…… 또 다른 이름은 카시와기 에리.
펜네임

　초등학생 시절 오타쿠 취미에 눈뜨고, 중학생 때 정체를 감춘 탓에 나쁜 쪽으로 숙성되고 만 미소녀 에로 동인 작가.

　한편 방금 그『미소녀』는『에로 동인』과『작가』를 동시에 수식하는 표현이니 주의가 필요하다.

　뭐, 아무튼 한 꺼풀 벗기면 오타쿠 본성이 드러나는 가짜 숙녀 에리리는 아까 벌였던 말다툼을 침대 위에서 떠올렸다. 그리고 공포와 수치, 후회에 젖으면서 침대 사이드 테이블에 놓인 한 권의 책을 집었다.

　"사인 받는 걸 깜빡했네……."

　……그것은 너무 많이 읽어서 너덜너덜해진『사랑에 빠진 메트로놈』1권이었다.

　그것은 정말 불행한 만남이었다.

　소녀는, 좋아하는 작품의 작가와 다투고 말았다.

소녀는, 전부터 가지고 싶었던 여성 팬을 박살내버리고 말았다.

어느 후텁지근한 오타쿠 남자애만 없었다면 만날 리가 없었던 두 사람은……

그 후텁지근한 오타쿠 남자애가 존재하는 한, 결국 불행한 만남을 가질 수밖에 없었던 것이다.

※　※　※

7월 초—.

그 불행한 만남을 가진 순간부터 두 달 전.

슬슬 여섯 시가 다 되어가고 있는데도 불구하고, 토요가사키 학원 1학년 교실이 있는 2층 복도에는 장마 직후의 초여름 햇살이 쏟아지고 있었다.

수업이 끝나고 몇 시간 정도가 지난 이 장소에는 석양빛을 받아 황금색으로 빛나고 있는 머리카락을 지닌 에리리가 있었다.

입만 다물고 있으면 한 폭의 그림 같은 미소녀는 경계심으로 가득 찬 눈길로 주위를 둘러보는, 자신의 평판에 상처를 입힐 수 있는 행동을 하고 있었다.

에리리의 앞에는 1학년 F반의 로커가 있었다.

그 중에서도 그녀가 서있는 곳은 『사와무라 에리리』라고 적힌 이름표가 붙어 있는 자신의 로커 앞이었다. 그러니 평소 같으면 그럴 필요가 전혀 없었다.

하지만 에리리는 또 한 번 주위를 주의 깊게 둘러보고, 심호흡을 한 번 한 후, 머뭇거리면서 로커의 문을 열었다.

"……라이트노벨이네. 다행이야."

에리리의 말대로, 거기에는 책 한 권이 놓여 있었다.

모 오타쿠 숍의 북커버에 감싸인 그 책을 펼쳐보니, 눈에 익은 후시카와 판타스틱 문고의 로고가 에리리의 눈에 들어왔다.

교내에 가지고 오는 것이 금지되기는 했지만 크게 눈에 띠지 않는 아이템을 보고 안도의 한숨을 내쉰 에리리는 그 책을 자신의 가방에 넣었다.

……이거라면 지난달에 이 로커에 들어있었던 『지라이어즈 전편 Blu-ray 박스』와 달리, 남들 눈에 띌 걱정을 하지 않으면서 집으로 가지고 갈 수 있을 거라고 안도하면서 말이다.

이 아이템은 에리리가 사거나 학교에 가져온 것이 아니다.

때때로 그녀의 로커에 자신의 추천 아이템을 멋대로 집어 넣어두는 후텁지근한 참견쟁이 오타쿠 남자애의 것이다.

그 오타쿠 소년…… 아키 토모야는 초등학교 때부터 중학교, 그리고 고등학교까지 에리리와 같은 학교에 다니고 있는 동급생이다.

아니, 사실은 그렇게 간단한 사이는 아니었다…….

초등학교에 들어간 직후 급격하게 사이가 좋아진 두 사람은 골수 오타쿠가 되었다. 하지만 3학년 말에 두 사람의 관계는 단절되었고, 중학교 때까지 이야기도 나누지 않았다. 하지만 상대방의 「어이, 이제 그만 우리도 어른이 되자고」 라는 사죄의 말(에리리 시점) 덕분에 아주 약간…… 그야말로 오타쿠 아이템을 포교하는 정도의 관계가 되었다.

자신의 로커에 들어 있는 첫 선물(에리리 시점)을 본 에리리가 얼마나 기뻐했는지는 일단 제쳐두겠다. 아무튼 이 시점에서도 두 사람은 그저 남자 쪽에서 일방적으로 공물을 바치기만 하는 관계에 지나지 않았다.

"어머, 사와무라 양. 아직 돌아가지 않은 거야?"

"응. 오늘 안에 밑그림까지 끝내고 싶어서 말이야."

"흐음, 고생 많네. 이번 전람회는 여름 방학 때지?"

"시바하라 양이 소속된 농구부도 곧 고교 대회 예선이지? 힘내."

"어머, 사와무라 양도 이제 돌아가는 거야?"

"늦게까지 고생이 많네."

"타카야마 선배, 히시다 선배…… 아뇨. 두 분이야말로 수고 많으세요."

"뭐, 우리한테는 이게 최후의 전람회잖아."

"너처럼 입상하지는 못하더라도, 하다못해 유종의 미를 거

둘 수 있도록 자신이 만족할 수 있는 작품을 완성하고 싶어."

"아니에요······. 봄에는 그저 운이 좋았을 뿐이에요."

교정으로 나가자, 학교에 남아있던 학생들이 차례차례 에리리 곁으로 몰려왔다.

사람들의 시선을 끄는 금발 혼혈 미소녀이자, 행동거지에서 기품이 배어나오는 숙녀. 하지만 사람을 가리지 않고 누구에게나 상냥하게 대하는 걸로 알려진 에리리는 동급생, 선배 가리지 않고 항상 사람들에게 둘러싸여 있었다.

하지만······.

"그럼 여러분······ 이만 실례할게요."

에리리는 그런 사람들과 교문 밖에서는 함께 지내지 않는다.

······초등학교 3학년 겨울 이후로, 에리리에게 진짜 친구는 없었다.

※　※　※

"『사랑에 빠진 메트로놈』······? 처음 듣는 제목이네."

집으로 돌아와서 트윈 테일 스타일로 묶은 머리카락을 풀고 편한 운동복으로 갈아입은 뒤, 진정한 자신으로 되돌아온 에리리는 침대에 드러누웠다. 그리고 가방에서 예의 책을 꺼냈다.

그 책에는 라이트노벨스러운 타이틀과, 라이트노벨치고는

약간 수수한 소녀의 일러스트가 표지를 장식하고 있었다.

"카스미 우타코…… 신인이구나."

띠지를 보니 『제40회 판타스틱 대상 수상. 기대되는 신인이 데뷔!!』라는 문구가 적혀 있었다.

"어디어디…… 솜씨 좀 볼까."

에리리는 가볍게 코웃음을 친 후, 사이드테이블에 놓인 안경을 쓰고 페이지를 넘겼다.

그런 거만한 태도를 취하고 있지만, 사실은 조금 기대하고 있었다.

왜냐하면 지금까지 토모야가 추천한 작품 중에서 재미없다고 느낀 것은 하나도 없었기 때문이다.

에리리의 그런 아련한 기대는 좋은 의미에서 크게 배신당하고 말았다.

다음날, 에리리는 지각했다.

그것은 읽기 시작한 책이 너무 재미있어서 잠도 자지 않고 읽었기 『때문』만은 아니었다.

그 문장에, 그 전개에, 그 결말에, 히로인의 매력에, 주인공의 마음에…….

이 작품이 지닌 힘에 사로잡혀 울음을 터트린 탓에 눈이 퉁퉁 부어서 학교에 갈 수 없었던 것뿐이었다.

　　　　　　　　　※　※　※

　그 후 에리리는 재빨리 행동에 나섰다…… 아니, 오타쿠의 본능을 마구 드러냈다.

　바로 판타스틱 문고의 HP를 체크했고, 2권이 나왔다는 사실을 알자마자 아마〇 프리미엄으로 주문했다.

　그러고도 도착하는데 하루가 걸린다는 사실을 안 그녀는 이 짧은 시간 동안의 굶주림조차 참지 못한 나머지 전자책을 다운로드해 단숨에 읽었다.

　그리고 인터넷 옥션에 돈을 쏟아 부어서 매장 특전을 대부분 손에 넣었다…….

　하지만 주말에 작가의 사인회가 있다는 사실과 참가권 배포가 끝났다는 사실을 동시에 안 그녀는 피눈물을 흘렸다.

　　　　　　　　　※　※　※

　그리고 7월 중순―.

　저녁이 되었는데도 땀이 날 만큼 더운 학교 복도.

　"……좋아."

　『도서실』이라는 플레이트가 걸린 문 앞에 선 에리리는 떨리는 발걸음을 필사적으로 억누르면서 작게 기합을 넣었다.

　평소 같으면 눈길도 주지 않았을 이 장소에, 부활동을 빠지면서까지 에리리가 찾아온 것은 별 것 아닌, 하지만 그녀에게 있어서는 크나큰 이유가 있기 때문이었다.

『아키 군은 방과 후에 항상 도서실에 틀어박혀 있는 것 같았어.』

그런 소문을 토모야와 같은 반인 여자애에게서 은근슬쩍 알아냈기 때문이다.

『으음…… 「사랑에 빠진 메트로놈」 읽어봤어.』

『포교할 거면 1권만이 아니라 2권도 같이 넣어두라구.』

『나, 사유카도 좋지만, 마유이가 더 좋아.』

눈을 감은 에리리는 토모야에게 할 말을 생각했다.

어젯밤, 침대 안에서 밤새도록 생각한 끝에 이윽고 이 세 개로 압축했지만, 아직 그 중에서 하나를 고르지 못했다.

그도 그럴 것이, 에리리는 몇 년 동안이나 토모야에게 말을 걸지 않았던 것이다. 그러니 이렇게 고민하는 것도 무리는 아니었다.

"으…… 용기를 내는 거야."

하지만, 그래도 지금은 이야기를 나누고 싶었다.

지금밖에 없다는 생각이 들었다.

자신들을 다시 이어줄 것은 『사랑에 빠진 메트로놈』뿐이라고 생각했다.

메일로는 이 열기를 전할 수가 없다.

이 격렬한 감동을 공유할 수 없다.

그러니, 만나서 전할 수밖에 없다.

"실례, 하겠습니다."

에리리의 손가락이 문에 닿았다.

아직 떨리고 있었지만, 그래도 힘을 줄 수 있었다.

그래서 모든 용기를 쥐어짜내, 이 시작의 문을 열…….

『도, 도서실에? 「사랑에 빠진 메트로놈」이?』

『예! 9월에 겨우겨우 들어왔다고요!』

『……토모야 군, 너 이번에 또 무슨 짓을 한 거야?』

그리고 에리리는 그 모습을 보고 말았다.

도서실 구석에 있는 책장 안쪽. 남들의 시선을 피하듯, 그러면서도 사이좋게 대화를 나누고 있는 남녀를…….

ACT4

평범한 팬의, 평범한 소꿉친구

"풉?! 콜록, 콜록……."

"정말, 뭐하는 거니? 못 말린다니깐."

9월 하순의 어느 휴일.

우타하, 그리고 그녀의 팬이자 후배이기도 한 토모야는 두 사람이 다니는 학교에서 전철로 한 시간 정도 거리에 있는 햄버거 가게에서 얼굴을 마주하고 있었다.

참고로 이렇게 먼 장소에서 만나기로 약속을 한 것은 두 사람의 관계가 주위에 알려질까 싶어서라든가, 그런 걱정을 해야 할 만큼 그렇고 그런 관계라든가, 다음에 갈 곳이 더욱 그렇고 그런 장소라서 어쩔 수 없다 같은 것이 아니라(적어도 한쪽은), 그녀의 『평소와 다름없는 변덕』 때문이었다.

이곳은 우타하가 태어나서 자란 마을인 와고 시다.

그리고 처녀작인 『사랑에 빠진 메트로놈』의 무대이기에, 그녀에게 있어서는 『딱히 외출하고 싶지는 않지만, 여기라면 같이 가줄 수도 있다』라고 할 만큼 익숙한 마을이었다.

뭐, 그런 주변 사정은 일단 제쳐두고…….

"왜, 왜 그 이름이 튀어나오는 거예요?"

"……왜 그렇게 동요하는 거야?"

우타하가 입에 담은 이름은, 토모야가 마시던 커피를 뿜게 하고, 그녀가 『손수건으로 상대의 입을 닦아준다』라는 연상의 아내 같은 행동을 하게 하는데 공헌했다.

"아니, 그게…… 나와는 전혀 상관없는 사람이거든요."

"그럼 화제로 삼아도 문제될 건 없잖아?"

하지만 토모야의 격렬하기 그지없는 반응은 우타하에게 불쾌한 의문과 확신을 가지게 하는데 성공했기에 마냥 좋아할 수는 없었다.

"하긴, 사와무라 에리리 양이라면 토요가사키 학원에서는 모르는 사람이 없을 만큼 유명인이지."

"하지만 나와는 반도 다르고, 취미도 다르고, 자라온 환경도 다르다고요……. 나 같은 오타쿠가 사와무라 스펜서 에리리에게 흥미를 가지는 게 오히려 이상할 거예요."

여전히 동요를 감추지 못하는 토모야는 그 무뚝뚝한 말과는 달리 태도를 통해 자신은 유죄라는 사실을 드러내고 있었다.

뭐, 우타하에게 하고 있는 그 말 또한 완벽하게 은폐하고 있다고는 볼 수 없는 수준이지만 말이다…….

"스펜서는 그녀의 미들 네임이야?"

"아, 예. 아버지 쪽의 성이에요. 사와무라는 어머니 쪽 성이고요. 그 녀석의 아버지는 영국 대사관에서 일하시는데 일본에 상주하게 된 후 어머니와 만나서…… 아."

"…………흐음, 그렇구나."

그야말로 『이실직고란 이런 것이다』라고 말하는 것처럼, 토모야는 당황할 대로 당황하면서 고개를 돌렸다.

"그, 그러니까, 나는 선배에게 도움이 될 만 한 건 전혀 알고 있지 않다고나 할까……."

3초 전에 꽤 귀중한 정보를 들은 것 같은 느낌이 들었지만, 우타하는 그것을 언급하지 않았다. 그저 토모야의 얼굴을 의혹으로 가득 찬 시선으로 응시하고 있었다.

사와무라 스펜서 에리리…….

얼마 전, 용모와 집안, 그리고 평판에 어울리지 않게 어린애 같은 싸움을 걸어왔던 금발 소녀를, 토모야는 분명 알고 있었다.

"……저기, 우타하 선배."

"왜?"

"혹시 그 녀석한테 무슨 짓이라도 당했어요? 선배 앞에서 짜증나는 태도를 취했다든가, 적대시했다든가, 구두 안에 들어있는 압정을 밟고 아파하는 선배를 손가락질하면서 웃어댔다든가요."

"……그녀는 그런 전형적인 악질 상류층 아가씨인 거야?"

"아, 기본적으로 나쁜 녀석은 아니지만, 때때로 뚜껑이 열리면 재미있는 짓을 벌이거든요."

아니, 지금에 와서는 아는 사이라는 사실을 숨길 생각이 있는지도 이제는 의문이었다.

"뭐, 직접 이야기를 나눠본 건 아냐. 그저……."

그리고 우타하는 자신이 체험했던 그 날의 일을 철저하게 숨기고 있었다.

"얼마 전에 우연히 학교 안에서 사와무라 양과 토모야 군이 사이좋게 이야기를 나누는 모습을 봤다는 건 어떨까?"

그 일을 숨기면서, 다른 방향에서 어프로치를 해보기로 했다.

"아~, 선배. 그런 식의 함정에는 안 걸려들어요."

"……들켰어?"

하지만 토모야는 우타하의 예상만큼 간단히 걸려들지 않았다.

그는 우타하의 견제 공격을 『말도 안 된다』는 태도를 취하면서 웃어넘긴 것이다.

하지만…….

"왜냐면 그 녀석은 학교 안에서는 절대 나와 이야기하지 않거든요. 무슨 일이 있더라도 메일로 연락할 거예요. 게다가 엄청 간결하게 용건만 쓴다고요. 대체 얼마나 나를 싫어하길래……."

"……."

그 뒤에 이어진 반응은 일부러 그러는 것이 아닐까 할 정도로 한심하기 그지없었다…….

자신이 건 함정이 대성공을 거뒀는데도, 우타하는 짜증이 솟구쳤다.

그도 그럴 것이, 알고 싶지 않은 사실을 연거푸 알았기 때문이다.

토모야와 사와무라 에리리 사이에는 적지 않은 인연이 존재한다.

그리고 서로의 메일 주소를 알고 있다.

게다가 그렇게 평판이 자자한 아가씨 쪽에서 일부러 토모야에게 연락을 한다고 한다.

즉, 그때 사와무라 에리리가 자신에게 시비를 건 것은⋯⋯.

카스미가오카 우타하가, 그녀의 인기를 위협하는 인물이라서가 아니라⋯⋯.

카스미 우타코가 쓴 작품이, 그녀의 마음에 들지 않기 때문도 아니라⋯⋯.

자신이 아키 토모야와 사이가 좋은 여자애라고 하는, 그 이유만으로⋯⋯.

"⋯⋯선배?"

"⋯⋯왜? 토모야 군."

토모야가 세차게 흔들리는 테이블과 옅은 미소를 지은 우타하의 얼굴을 새파랗게 질린 얼굴로 번갈아 쳐다보고 있었다.

"으음, 저기, 나⋯⋯ 선배가 화낼 만한 소리를 했나요?"

"걱정하지 마……. 딱히 신경 쓰고 있지는 않아."

"그거 거짓말이죠?!"

"피장파장이잖아……."

우타하는 반경 5미터까지 느껴질 정도로 격렬하게 다리를 떨고 있었다.

※　※　※

"카, 카스미가오카 선배가…… 사와무라 양을요?"

"응. 그러니 들여보내주지 않겠어?"

다음날, 월요일.

수업 중의 광경을 전혀 묘사하지 않는 이 작품의 관례에 따라, 방과 후의 교내.

"대, 대대대대, 대체 뭐가 어떻게 된 거죠?"

"별 거 아냐. 그냥 이야기를 조금 나눠보고 싶은 것뿐이야."

서쪽에 있는 미술실 문을 사이에 두고, 우타하와 미술부원으로 보이는 1학년 갈래머리 소녀는 한창 대화를 나누고 있었다.

"하, 하지만, 하지만……."

"……왜 그렇게 당황하는 거야? 당신을 어떻게 하겠다는 게 아니잖아? 당신은 잔말 말고 나를 들여보내기만 하면 돼."

"으, 으음…… 이야기 내용이랄까, 자세한 용건 같은 건……."

"……내 개인적인 볼일을 왜 당신에게 이실직고해야 하는 거지? 미술부는 그렇게 집단주의적이고, 비밀주의적이며, 전체주의적인 썩어빠진 조직인 거야?"

"히익?!"

갈래머리 소녀는 아마 「그런 식으로 말하니까 경계할 수밖에 없는 거잖아요!」라고 말대꾸하고 싶을 거라는 생각이 들었다. 하지만 그런 식으로 반론했다간 아까보다 몇 배는 더 무시무시한 얼음 칼날이 날아올지 모르기에 차마 말하지 못하는 것이라는 추측이 들었다.

그 정도로 『암흑미녀』나 『흑발 롱헤어 설녀』라고 불리는 이
카스미가오카 우타하
2학년에 대한 악평이 교내에 침투해 있는 것이다.

그녀에게 있어 불행은 지금 이 자리에 자신 이외의 미술부원, 그것도 우타하와 같은 학년 혹은 상급생인 선배가 없다는 점이다.

뭐, 설령 그런 믿음직한 선배가 있더라도 불행해지는 게 그녀가 아니라 그 사람이 될 뿐이겠지만 말이다.

"아무튼 들어가겠어."

"아, 잠깐만요!"

결국 인내심이 바닥나고 만…… 아니, 더 이상 비생산적인 짓을 해봤자 소용없다고 판단한 우타하는 허락 없이 미술실 안으로 들어갔다.

하지만 그 1학년 부원은 이 미술부를, 그리고 동경하는 동
사와무라 에리리
급생을 지키기 위해 쪼그라들려고 하는 용기를 쥐어짜내면서

우타하의 뒤를 쫓았다.

……그 정도로 『토요가사키 2대 미녀』라는, 그녀들 두 사람의 관계성을 걱정하는 칭호가 교내에 침투해 있는 것 같았다.

"……아무도 없잖아."

"그러니까 있다고는 한 마디도 안 했다고요."

우타하가 들어선 장소는 일주일에 한 번 미술 수업 때 이용하는 미술실이었다.

책상과 의자, 캔버스와 조각상이 잡다하게 놓인 그 장소에는 지난주에 우타하가 조우했던 석양빛에 반짝이는 금발 머리카락이 존재하지 않았다.

"하지만 오늘 부활동에 참가는 했겠지? 어디 가기라도 한 거야?"

"아, 그게, 아마 제2 미술준비실에 있을 것 같은데……."

"준비실?"

여자 후배가 가리킨 것은 교실 뒤편 창가 쪽에 있는 열쇠가 달린 문이었다.

"예. 사와무라 양은 자주 저 방에 혼자 틀어박혀서 작업을 해요."

"잠깐만 있어봐. 준비실은 보통 선생님이 수업 준비를 위해 이용하는 곳 아냐?"

"아, 선생님이 이용하는 건 저쪽에 있는 제1 미술준비실이에요."

이번에 그녀가 가리킨 것은 아까와는 반대편, 즉 교실 앞쪽에 있는 열쇠가 달린 문이었다.

"원래 제2준비실 쪽은 미술부의 부실처럼 쓰였지만, 사와무라 양이 입부한 후부터는 그녀의 개인실이 되어버렸어요……."

"뭐? 그 애 부모님이 비싼 그림이라도 학교에 기부한 거야?"

"아뇨……. 하지만 올해 봄에 열린 전람회에서 갑자기 입선했기 때문에 학교에서도 특별시하고 있는 느낌이에요."

"……그런데도 사이좋게 지낸다는 게 신기하네."

두 개의 준비실 중 하나를 개인전용 작업실처럼 사용한다니, 알력이 생겨야 당연할 것 같은 미술부의 내부 사정을 들은 우타하는 미묘하게 전율했다.

"이상할 것 없어요. 사와무라 양은 부잣집 아가씨인데도 남들과 잘 지내는 데다, 누구에게나 상냥하거든요."

"……흐음, 그렇구나."

그렇다면 지난주에 우타하가 본 그 사와무라 에리리는 땅거미가 지는 순간에 나타난 환상이었던 것일까?

아니면 그때의 그녀는 우타하 자신을 비추는 거울이었던 것일까?

"무엇보다, 본인이 미술품 같은 거잖아요."

"……그래. 그래서 한 번 더 보고 싶은 거야."

우타하는 자기 자신에게 그렇게 말한 후, 교실 뒤편으로 걸어가더니 『제2 미술준비실』이라고 적힌 플레이트가 걸린 문에 손을 댔다.

"하, 하지만…… 하다못해 노크라도……."

"괜찮아."

사와무라 에리리가 어떤 존재인가.

다른 사람들의 말대로, 완벽한 상류층 아가씨인가.

우타하가 본 대로, 결함 덩어리 꼬맹이인가.

"처음에 멋대로 쳐들어온 건 사와무라 양이거든."

분명 한 번 더 만나보면, 이번에야말로 알 수 있을 것이다.

"……이게 뭐야?"

뜻밖에도 문은 잠겨 있지 않았다.

그리고 우타하가 찾던 에리리의 모습은 보이지 않았다.

하지만 우타하가 찾던 인물은 적의 습격을 눈치채고 도망친 것도, 처음부터 이곳에 없었던 것도 아니라, 잠시 자리를 비운 것 같았다.

그 증거로, 준비실 쪽은 어질러져 있었다.

아마 이 방의 주인은 방금까지 이곳에서 작업을 하고 있었으며, 그리고 곧 재개할 생각이었던 게 틀림없었다.

"……이게 뭐야?"

그리고 무엇보다 그녀라면…….

아니, 대부분의 여자애라면 방을 이런 식으로 방치해두고 딴 데 가버릴 리가 없다…….

"저, 저기…… 사와무라 양, 있나요?"

"윽! 들어오면 안 돼!"

아수라장이 벌어지기를 기대한 것인지, 아니면 에리리를 걱정한 것인지는 모르겠지만, 상황을 살펴보기 위해 준비실에 들어오려고 하는 미술부원을 우타하는 밖으로 밀어낸 후, 안에서 문을 잠갔다.

"자, 잠깐만요~. 안에서 무슨 일이 벌어지고 있는 거죠~?!"

그런 우타하의 태도를 보고 처절한 아수라장이 벌어질 것이라고 예측한 그녀의 외침이 들려왔다.

그렇게 우타하는 또 이상한 오해를 사고 말았지만, 그래도 역시 그녀에게…… 아니, 사와무라 에리리 이외의 그 누구에게도 이 방을 보여줄 수는 없었다.

그것은 그야말로 충격이었다.

좁은 준비실 안에 굴러다니고 있는 러프 스케치의 산.

그 스케치 하나하나에는 압도적인 양의 기호와 정보가 가득 채워져 있었다.

질도, 양도…… 이것을 오늘 하루 만에 그렸다면 사와무라 에리리라는 소녀는 확실히 미술부의 희망, 아니, 에이스라고 불리는 것도 당연하리라.

그저…….

"이쪽……이었던 거야?"

거기에 그려져 있는 것은 미술부의 인간이 그릴만한 그림이 아니었다.

한 장 한 장의 스케치북에서 약동하고 있는 것은 미려한 소녀들이었다.

　어떤 이는 하늘거리는 아이돌 풍의 의상을 입은 채 춤추고 있었고, 어떤 이는 수영복 차림으로 볼을 붉히고 있었으며, 또 어떤 이는 노출이 심한 모습으로 요염한 표정을 짓고 있었다.

　마치 이 방 전체에 한 권의 라이트노벨이, 한 개의 미소녀 게임이 내포되어 있는 것만 같은 압도적인 세계관이 존재했다.

　아니, 이런 러프 스케치는 전초전에 지나지 않았다…….

　준비실 한가운데에 있는 이젤에 놓인 캔버스.

　거기에 다양한 색채로 그려진 그림 또한 엄청난 미소녀였다.

　대량의 색상이 교차하고 있는 몽환적인 경치에 녹아들면서도, 확연하게 부각될 수 있도록 자기주장을 하고 있었다.

　그 세계에서 직접 자라난 듯한 가시 덩굴…… 아니, 어쩌면 촉수에 휘감겨 요염하면서도 고통스러운, 혹은 쾌락에 찬 것처럼도 보이는 표정을 짓고 있었다.

　그것은 주위에 존재하는 압도적인 양의 스케치를 이 그림 한 장에 응축시킨 것처럼 엄청난 정보량과 밀도를 지니고 있었다.

　그것은 고등학교 전람회 따위에 출품할 수 없을 만큼 요염하지만…….

　일러스트레이터 합동 전람회에 내놔도 손색이 없을 만큼 귀여웠다.

"카시와기…… 에리?"

이윽고 우타하는 그 캔버스에 담겨 있는 또 하나의 메시지를 찾아냈다.

그림 오른쪽 아래에 휘갈겨 쓴 듯한, 하지만 충분히 알아볼 수 있는 글씨체로 적힌 제작자의 사인을 말이다.

※　※　※

"『egoistic-lily』……?"

그날 밤.

집으로 돌아온 후, 자신의 방에 있는 PC로 『카시와기 에리』를 검색해본 우타하가 가장 먼저 본 것은 검색 결과의 최상위에 놓여 있는 한 서클 HP의 이름이었다.

"……그대로잖아."

『제멋대로인 릴리』나 『e-lily』(에리리)라고도 읽을 수 있는 네이밍 센스는 사와무라 에리리가 동인 서클을 가지고 있다는 사실이 알려졌을 경우, 바로 어느 서클인지 알 수 있을 만큼 안이함으로 가득 차 있었다.

……뭐, 과거 최고의 팬에게 카스미 우타코라는 자신의 펜네임이 『거의 본명이나 다름없다』나 『엄청 대충 지은 펜네임』이라는 혹평을 들은 우타하가 할 생각은 아닐지도 모르지만 말이다.

"윽……?!"

그리고 머뭇머뭇 그 링크를 누른 우타하는 그 후 수십 분 동안, 자신이 그 사이트 안을 어떤 순서로 돌아보았는지 생각이 나지 않았다.

장르도, 제작 순서도, 러프나 그림이나 컬러 같은 것도 상관없이, 눈앞에 등장하는 방대한 양의 여자 캐릭터 그림을 차례차례 눈동자에 새기는 작업에 몰두했기 때문이다.

획일적으로 보이지만 각 캐릭터의 특징이 미묘하게 다르며, 2차 창작물에서는 원작의 특징이 확연하게 드러나면서도 사와무라…… 아니, 카시와기 에리의 그림이라는 것을 한 눈에 알아볼 수 있었다.

특징을 확연하게 잡으면서 그린 러프, 깔끔하게 정돈된 선, 선명한 색채가 돋보이는 컬러 CG.

작업별로 각기 다른 매력이 넘쳐 나고 있지만, 뒤로 가면 갈수록 완성도가 올라가며, 마지막에는 무심코 한숨을 내쉴 만큼 아름다운 그림이 완성되었다.

몇 시간 전에 봤던 방대한 러프에서 한 장의 그림으로 승화되는 과정을 다시 한 번 더, 그것도 몇 번이나 본 우타하의 얼굴에서는 황홀한 미소가 사라질 줄을 몰랐다.

잠시 후, 일반용 CG 콘텐츠를 전부 본 우타하는 밀려오는 굶주림을 참다못한 나머지 결국 성인 인증 버튼을 눌렀다.

그 후 터져 나온 것은 아까까지의 풍부한 색채가 아니라, 눈앞이 어질어질할 만큼 화면을 가득 채우고 있는 살색&백색 with 살색.

살과 욕구와 피부와 구멍과 우윳빛 액체와 점액으로 범벅이 되어 있고, 적은 색깔을 아찔한 그러데이션으로 장식했으며, 보기만 해도 흥분될 만큼 색기로 가득 차 있었다.

원래라면 모델이 더 어울릴 듯한 혼혈 미소녀 아가씨가 그린 에로 그림을 온몸으로 느낀 우타하는 남자를 안는 것과는 다른 흥분에 사로잡힌 채 온몸을 떨었다.

　　　　　※　※　※

그 후 우타하는 재빨리 행동에 나섰다…… 이하 생략.

『egoistic-lily』 이외의 검색 결과를 전부 확인하고, 카시와기 에리가 자신의 HP 이외에서 공개한 미소녀 CG를 전부 자신의 그림 폴더에 다운로드했다.

카시와기 에리가 지금까지 낸 동인지를 입수할까도 했지만, 서점 위탁 판매를 하지 않았기에 옥션에만 물량이 있었다. 그리고 어디 사는 윤리관 넘치는 남자 후배의 얼굴이 떠오른 우타하는 주저하고 말았다.

하지만 그 출품 리스트 안에 『이 세상에 이런 게 있어도 되는 걸까?!』라고 외치고 싶을 정도의 아이템을 발견하고는 전율하고 말았다.

『egoistic-lily 선으리 신간 보너스 카퍼지 사랑에 빠진 메트로놈 마유이편 19금』

그것을 본 순간, 몸이 멋대로 움직였다.

지금까지 인터넷 옥션을 한 번도 해본 적 없는, 게다가 미성년자인 우타하는 고민하고 고민한 끝에, 담당 편집인인 마치다에게 옥션 대행을 애원했다.

마치다의 『그럼 얼마까지 낼 생각인데?』라는 질문에, 당시 입찰 가격의 10배인 5만 엔이라는 금액을 입에 담았다.

도착한 책은 얇디얇았다.

원래 동인지라는 책이 어떤 것인지를 정보 레벨로만 알고 있던 우타하는, 그 B5 종이 네 장을 호치키스로 찍기만 한 간소한 종이 다발을 보고 자신의 생각이 짧았다고 후회했다.

하지만 곧, 그 후회야말로 자신의 짧은 생각에서 비롯된 것이라는 사실을 깨닫고 말았다.

총 여덟 페이지, 표지와 저자명 등이 쓰인 판권장 페이지를 빼면 총 여섯 페이지밖에 되지 않았다.

물론 컬러 페이지는 없으며, 표지를 포함해서 전부 흑백이다.

게다가 스토리는 전혀 없으며, 첫 페이지부터 나오토와 마유이는 연인관계였다. 그리고 다음 페이지부터 바로 섹스를 시작하더니, 페이지가 얼마 되지 않아서 그런지 세 페이지 만에 피니쉬했고, 마지막에는 뽀뽀를 하면서 끝날 뿐인 내용이었다.

이 작품의 근간을 이루는 메인 히로인, 사유카조차 모습을 보이지 않았다.

……하지만, 이 짧은 섹스와 얼마 안 되는 선의 나열 안에는 작품에 대한 사랑이 넘칠 정도로 담겨 있었다.

나오토도, 마유이도, 자신이 생각한 설정에서 벗어나지 않는 말투를 썼다.

짧은 대화 안에서도, 상대를 생각하는 마음이 배어나왔다.

두 사람의 행위는 처녀와 동정 치고 약간 지나친 느낌이 있었지만, 그래도 풋풋함과 부끄러움, 그리고 끓어오르는 감정이 느껴졌다.

만약 『사랑에 빠진 메트로놈』이 완결되고, 그 후 나오토가 마유이를 선택한다면 이런 일이 생길지도 모르겠다고 원작자인 우타하조차도 자연스럽게 받아들일 만한 내용이었다.

그런 고로 우타하는, 아니, 라이트노벨 작가 카스미 우타코는…….

『자신의 아이들이 윤락업소에 팔려간 것 같다』면서 창작자가 기피하기도 하는, 자신이 쓴 작품의 19금 2차 창작물과 이렇게 행복한 해후를 가졌다.

ACT5

2nd approach

에리리가 미술부를 나오자, 북쪽 복도는 더욱 어둠에 뒤덮여 있었다.

시계를 보니 벌써 5시 반이 지났다.

가을이 깊어가면서 땅거미가 드리워지는 시간 또한 빨라진 교내에서는 사람의 기척이 전혀 느껴지지 않았다. 마치 보는 이들이 복도 안쪽의 칠흑에 빨려 들어가는 듯한 분위기가 존재했던 것이다.

이런 복도 한 가운데에서 멈춰선 에리리는 안 그래도 시력이 좋지 않은 눈에 힘을 주면서 어둠에 물든 건물 안을 뚫어져라 쳐다보았다.

그 모습에서는 숙녀다운 자신감이나 품격이 느껴지지 않았다. 마치 겁을 집어먹은 것처럼도 보였다.

"……아무도, 없지?"

드디어 어둠에 익숙해진 자신의 눈을 믿은 에리리는 바닥의 존재를 확인하듯 한 걸음 한 걸음 천천히 내디뎠다.

지난주 이후로 에리리는 항상 이랬다.

보이지 않는 무언가…… 아니, 까놓고 말해 카스미가오카 우타하가 너무 무서웠다. 그래서 과도하게 경계한 나머지, 이렇게 사람들을 피해 늦게까지 학교에 남아있었고, 그게 거꾸로 그녀와 조우할 위험도를 올리고 있었다.

계기는 그녀의 동급생이자 같은 미술부원인 토야마 하루미의 『급보』였다.

그녀의 말에 따르면, 지난주 부활동 중에 에리리가 볼일이 있어 부실을 비운 사이, 카스미가오카 우타하가 자신을 찾아왔다고 한다.

타인에게 무관심하지만 적에게는 잔인한, 게다가 말다툼으로는 진 적이 없다는 평판인 『흑발 롱헤어 설녀』가 설마 자신의 본거지로 쳐들어올 것이라고는 에리리도 상상하지 못했다.

게다가 그녀는 자신이 없다는 사실을 알고는 에리리의 『성역』인 제2 미술준비실에도 들어갔었다고 한다.

미술부원 중에는 그 장소에 들어갈 만큼 눈치 없는 이는 없다……. 그 방심이 에리리에게 있어 최악의 상대에게 빈틈을 보이는 통한의 미스를 초래하고 만 것 같았다.

만약 그녀가 『그 실내』를 자세하게 봤다면.

그리고 에리리의 정체를 간파하고 말았다면…….

"안녕, 사와무라 양."

"끼야아아아아~?!"

생각의 어둠 속에 빠져 있던 에리리는 또 미스를 저지르고 말았다.

어느새 자신의 눈앞에 지금까지 계속 피해왔던 상대가 서 있는 사실을 눈치채지 못한, 바보 같으면서도 치명적인 미스를 말이다.

"카…… 카스미가오카, 우타하?"

"지금까지 부활동을 한 거야? 정말 열의가 넘치네. 전람회가 얼마 남지 않은 거야?"

느닷없이 눈앞에 나타난 흑발의 상급생은 뜻밖에도 밝은 미소를 머금은 채 부활동을 마치고 돌아가는 에리리에게 상냥한 목소리로 격려의 말을 건네더니…….

"아니면 동인 이벤트가 멀지 않은 걸려나? ……카시와기 에리 선생님."

"윽~~~?!"

그 직후, 그녀의 평판에 걸맞은 거무튀튀한 미소를 지었다.

"왜, 왜, 왜 아직 학교에 있는 거야?! 이 스텔스 검은머리 여자아아아앗!"

그 거무튀튀한 존재감에 빨려들 것만 같은 느낌을 필사적으로 떨쳐낸 에리리는 독설을 내뱉었다. 하지만 한심하게도 뒷걸음질을 치고 말았다.

"선배에 대한 그 무례하기 그지없는 발언에 대해서는 나중에 느긋하게 검증해볼게. 하지만 자기 교실에서 나온 걸 가지고 그런 소리를 듣는다는 건 말이 안 되지 않아?"

"뭐? 뭐?"

에리리가 고개를 들어보니, 눈앞에 있는 교실에는 2-D라고 적힌 플레이트가 걸려 있었다.

……사실 계단을 사이에 두고 미술실과 대칭을 이루는 위치에 있는 교실에, 천적이 서식하고 있다는 충격적인 사실을 이제야 안 에리리는 현기증을 느끼며 진땀을 흘렸다.

"뭐, 당신이 나올 때까지 기다린 건 사실이야. 그날 이후로 당신과 한 번 더 이야기하고 싶다는 생각이 계속 들었거든."

"그, 그건 즉……."

"응. 당신이 지닌 『또 하나의 얼굴』에 대해 물어볼 게……."

그 순간, 에리리는 패배를 인정했다.

이제 자신의 생사여탈권은 이 악마 같은 설녀가 움켜쥐고 있는 것이다.

"『정체가 알려지는 게 싫으면 내가 시키는 대로 해』라고 협박할 생각인 거지?"

"……뭐?"

에리리의 머릿속에서는 몇 초 후에 벌어질 상황이 극명하게 떠오르고 있었다.

"네가 미소를 지으면서 신호를 보내면 교실 안에서 불량스러운 남자들이 잔뜩 튀어나와 나를 포위하는 거지?"

"아니, 나 말고는 아무도……."

"겁먹은 나는 필사적으로 도망치려고 하지만, 건장한 남자들에게 잡혀서 결국 변변한 저항조차 하지 못한 채……!"

"저기, 사와무라 양?"

에리리의 머릿속에서는 네임 작업이 거의 완료됐다.

『표지 컬러 / B5 / 24페이지 / 인쇄본』이라는 느낌으로 될 것 같았다.

『어이어이, 믿기지가 않네……. 이 녀석, 미술부의 사와무라잖아.』

『설마 상류층 아가씨를 내 마음대로 할 수 있는 날이 올 줄이야…… 대박이네.』

『저, 정말, 마음대로 해도 되는 거예요? 우타하 누님?』

『그래……. 그녀가 항상 그리는 능욕 동인지에 나오는 것처럼 해줘.』

『꺄아아아아~~~!』

"요, 용서해줘……. 제발 봐줘!"

"저기, 사와무라 양? 나는 딱히 그런 짓은……."

"그, 그리고 내가 능욕당하는 모습을 보며 흥분한 너는 남자 위에 올라타더니, 적극적으로 허리를 흔들어대겠지……. 아아, 상스러워!"

"참고로 남한테 음란 걸레 역할을 맡기지 말아줄래?"

"안 돼, 안 돼…… 나, 나, 순결을 바칠 상대는 이미 예전에 정해뒀단 말이야……!"

"진정해, 이 망상 에로 아가씨야!"

참고로 에리리의 머릿속에서는 이미 『에리와 눈의 창녀』라는 타이틀까지 정해졌다…….

※　※　※

"여기는 아직 밝네."

"나, 나를 이런 곳으로 끌고 와서 무슨 짓을 하려는 거야……?"

"이제 그런 소리 좀 그만해."

제2 미술준비실의 문을 열자, 가라앉고 있는 석양에서 뿜어져 나온 빛이 창문을 통해 안으로 들어왔다.

에리리에게서 열쇠를 빼앗은 후, 지난주와 마찬가지로 이 방의 주인인양 안으로 들어온 우타하는 지난주와 마찬가지로 거리낌 없이 안을 둘러보았다. 그리고 이 방 주인인양 이젤 앞에 놓인 의자에 당당하게 앉았다.

"뭐, 너도 편하게 있어."

"멋대로 들어오지 마, 멋대로 둘러보지 마, 느긋하게 여유 부리지 말라구!"

우타하의 거만한 태도를 본 에리리는 불평을 늘어놓으면서도 의자를 벽 쪽에 놓더니 그대로 구석에 앉았다.

『토요가사키 미술부의 1학년 에이스』로서 떠받들어지던 에리리가 그런 태도를 취하니, 『어이어이, 투수. 쫀 거냐!』하고 야유를 들어도 이상하지 않을 만큼 꼴불견이었다.

……하지만 에리리를 그렇게 겁먹게 만든 당사자인 우타하 또한 이런 상황은 눈곱만큼도 원하지 않았다.

"흐음, 지난주보다 정리가 되어 있네."

"가, 같은 학교에 얼굴 두껍고 제멋대로에 편집증이 있는 불법침입자가 있을 줄은 꿈에도 몰랐단 말이야."

"……아무리 사립학교라고 해도 여기는 미술실의 일부니까, 그 어떤 학생들에게도 개방되어 있는 공공시설일 텐데? 문제는 그런 공공장소에 자기 물건을 잔뜩 갖다 둔 걸로 모자라 기득권을 주장하고 있는 미술부원에게 있지 않을까?"

"뭐……."

"그리고 학교 안에서 이렇게 『남들에게 보이면 곤란한 그림』을 그려대는 게 문제 아닐까? 이렇게 기묘한 성적 취향을 가지게 된 경위와 앞으로의 미래에 대해 걱정이 되지 않는 건 아냐. 당신, 혹시 과거에 엄청 심각한 성적 트라우마를 경험했던 거 아냐? 당신이 그리는 동인지에 나올 만한 일 말이야."

"뭐, 뭐, 뭐…… 카, 카카카카, 카스미가오카 우타하, 멋대로 지껄이게 놔뒀더니…… 너, 너무해. 그렇게까지 말할 건 없잖아. ……흐, 흑, 흐흑……."

『아냐. 오해하지 마……. 나는 그저, 카시와기 에리라는 일러스트레이터와 창작에 관한 이야기가 하고 싶은 것뿐이야.』

……참고로 방금 그 말을 입에 담을 때의 우타하의 심리 묘사는 이러했다.

일단 『누가 마음속으로 그딴 생각을 했다는 거야』라는 일반적인 감상은 제쳐두겠다. 지금 마음속에서 어떤 변명을 하더라도 이미 돌이킬 수 없을 만큼 치명적인 폭언을 뱉은 것만은 틀림없다. 하지만 그녀가 방금 한 말은 절대 본심이 아니었다.

"너, 너, 너…… 지금까지 그렇게 라이벌의 비밀을 움켜쥐고 협박해댄 거지?!"

"그런 짓을 한 적은 없는데…… 하지만 당신처럼 멋대로 자멸하는 패배자 기질의 소유자가 경쟁상대라면 여러모로 편해서 좋긴 하네."

"뭐, 뭐뭐뭐뭐뭐…… 우, 우, 우엥……."

……사실 현재 우타하의 가방에는 카시와기 에리가 그린 『사랑에 빠진 메트로놈』 동인지가 상비되어 있었다.

물론 여차하면 이 책을 꺼내서 에리리가 지닌 또 하나의 얼굴을 폭로……하기 위해 가지고 다니는 것이 아니다.

그저 자신의 작품을 읽어준 것과 2차 창작을 할 만큼 좋아

해준 것에 대한 감사의 뜻을 전한 후, 가능하면 사인을 받고 지금까지의 일은 잊고 화해하고 싶었다.

하지만 에리리의 태도와 말과 목소리와 우는 얼굴이 너무 피학적인 탓에, 우타하의 마음속에 존재하는 사디스틱한 본성이 눈뜨는 것을 막을 수가 없었다.

「당신 혹시 괴롭혀주기를 원하는 거야? 그런 거지?」하고 묻고 싶을 만큼, 우타하의 등을 타고 엄청난 쾌감이 달리고 있었다.

게다가 우타하는 자신이 『전투시 이외의』 커뮤니케이션 능력이 없다, 아니, 삐뚤어져 있다는 사실을 알고 어이없어 하고 있었다.

이래서는 평생 동안 친구나 연인이 생기지 않을지도 모른다고 그녀 본인도 인정해버릴 만큼 말이다.

"아, 아무튼, 꼴사납게 울지 좀 마……. 자, 손수건."

"됐어……. 나도 손수건 있다구."

에리리가 그렇게 말하면서 꺼낸 손수건은 평범한 고교생에게는 어울리지 않는 해외 고급 브랜드 상품이었고, 그 사실이 우타하를 더욱 짜증나게 만들었다.

뭐, 이건 완벽한 생트집이지만 말이다.

※　※　※

"그래서?"

"뭐가?"

여섯 시가 지나면서 해가 완전히 저물자, 미술준비실 안에 어둠이 찾아왔다.

에리리가 근처에 있는 조그마한 스탠드의 스위치를 켜자, 어둑어둑한 불빛이 두 사람의 그림자를 자아냈다.

그런 어둠에 눈과 마음이 익숙해졌을 즈음, 드디어 마음이 진정된 두 사람은 평소 텐션으로 대화를 나누기 시작했다.

"사와무라 양, 당신은 왜 동인 활동을 하고 있다는 걸 숨기고 있는 거야?"

"너도 라이트노벨 작가라는 걸 숨기고 있잖아."

"나는 숨기는 게 아냐. 그저 내 개인적 사정을 들어줄 만큼 목숨이 아깝지 않은…… 아니, 용기 있는 사람이 없는 것뿐이야."

"……그건 당당하게 할 소리가 아닌 것 같은데?"

『단 한 사람을 제외하고』라는 말을 생략했다는 사실을 말한 사람도, 들은 사람도 눈치챘지만 두 사람 다 지금은 그 어둠에 발을 들이지 않았다.

"상식적으로 생각해봐. ……이 내가, 사와무라 에리리가 에로 동인지를 그리고 있다는 걸 이제 와서 어떻게 이야기하냐구."

"그럼 처음부터 이야기했으면 됐잖아. 입학하자마자 커밍아웃하고 애니메이션 동호회라도 들어가는 거야. 네 그 취미,

척 봐도 고등학생 때부터 시작한 게 아닌 것 같던데, 맞지?"

"⋯⋯⋯⋯모에 그림을 그리기 시작한 건 초등학교 2학년 때부터일 거야."

"그 정도 경력을 가지고 있다면, 더욱⋯⋯."

"오타쿠 차별의 뿌리는 깊어."

"지금은 그런 낡아빠진 가치관이 유행하지 않아. 오타쿠도 충분히 시민권을 가지고 있다구."

"으⋯⋯."

우타하의 그 말은 아까보다 독기가 적을 뿐만 아니라, 옹호에 가까운 뉘앙스를 지니고 있었지만⋯⋯.

그래도 에리리의 표정은 한 순간 아지랑이처럼 흔들렸으며, 스탠드 조명에 비친 그녀의 실루엣 또한 흔들렸다.

"게다가 처음부터 차별당하는 쪽에 서서, 서서히 익숙해져 간다는 방법도 있잖아? 너처럼 중증에 마니악할 뿐만 아니라 은퇴도 불가능한 오타쿠라면 그 편이 비교적 행복할 것 같은데?"

만약 에리리가 처음부터 중증 오타쿠 동인 작가였다는 사실을 밝혔다면, 두 사람은 조금 더 행복한 만남을 가질 수 있었을지도 모른다.

도서관에서 한 권의 책을 계기로 작가와 독자로서 만나, 한 권의 책에 대해 뜨겁게 이야기하고, 다음 한 권의 작가와 작가로서 서로의 능력을 갈고 닦는, 그런 행복한 관계가 되었을지도⋯⋯.

"나…… 어릴 적부터 다른 누구보다도 오타쿠가 어울리지 않았어."

그것은 잘못 받아들인다면 거만한 대사처럼 들릴지도 모르지만…….

에리리에게 있어 그것은 엄연한 사실이며, 언제나 자신의 앞에 무시무시한 장애로써 존재해왔다.

"그래서 말이야. 딱 봐도 오타쿠가 어울리는 사람이 오타쿠를 하는 것보다. 어울리지 않는 사람이 애니메이션이나 게임 이야기를 하는 게 더 보기 안 좋다고 남들은 생각하는 것 같아."

"그건 당신의 피해망상 아닐까?"

"그것 때문에 집요한 집단 괴롭힘을 당했더라도? 오타쿠를 관둔 척 하자마자 괴롭힘을 당하지 않게 되었는데도?"

"……."

어릴 적 에리리의 외모는 오타쿠를 자처하기에는 너무 화려하기 그지없었다.

사회에서 일반적으로 생각하는 복장이나 헤어스타일을 신경 쓰지 않는 오타쿠와도, 보는 사람이 안쓰러울 정도로 지나치게 신경 쓰는 오타쿠와도 달랐다. 그녀는 『영국인 부자』, 『외교관의 외동딸』, 『인형 같은 미소녀』라는 이미지를 타고난 것이다.

그런 에리리가 2차원 일러스트를 그리거나 보거나 즐기는 모습을 에리리에게 환상을 품고 있던 주위 사람들이 허용하지 못했다.

게다가 또 하나…….

에리리와는 정반대로 『오타쿠가 너무 잘 어울리는』 파트너^{토모야}가 곁에 있다는 점도 그녀에게, 아니, 주위 사람에게 있어서도 불행이었을지도 모른다.

이 두 사람의 조합이 오타쿠를 이해하지 못하는 주위 사람들에게 바람직하지 않은 갭을 느끼게 한 것이 틀림없었다.

……에리리는 평생 그것을 인정하지 않겠지만 말이다.

그래도 에리리가 성장하면서 그런 지긋지긋한 이미지는 점점 옅어져 갔다.

원래 오타쿠였던 부모님에게서 『오타쿠로서 사는 법』을 배우고, 자신도 조금씩 『2D 미소녀스러움』을 강조해서 점점 『오타쿠도 어울리는 여자애』라는 느낌을 자아냈다.

하지만 초등학생 때 생긴 트라우마를 그런 사소한 걸로 지울 수 있을 리가 없었다.

"즉, 어릴 적의 울분이 사와무라 양의 모티베이션인 거네? 그래서 당신은 일반인이 가장 눈살을 찌푸리는 에로 만화를 그리게 된 거구나……."

"아냐. 19금을 그리게 된 건 가장 잘 팔리기 때문이야."

"……조금이라도 당신의 사정을 이해하려고 한 내가 바보였어."

우타하는 어이없다는 목소리로 그렇게 중얼거리면서 눈앞에 있는 캔버스를 가리고 있는 천을 잡았다.

지난주에 봤을 때보다 완성도와 요염함, 그리고 아름다움이 상승한 미소녀&촉수 일러스트는 매상과 인기만 중시하는 한심한 마음가짐에서 태어난 것으로는 보이지 않았다. 그래서 우타하는 안목에 대한 자신감을 잃을 뻔 했다.

"하지만 그건 너도 마찬가지 아냐?"

"나는 팔리고 싶어서 글을 쓰는 게……."

"하지만 독자를 행복하게 해주고 싶다든가, 조금이라도 괴로운 일을 잊게 해주고 싶다든가, 크나큰 뜻을 가질 수 있도록 인도하고 싶다든가, 같은 생각을 하면서 쓰고 있는 것도 아니잖아?"

"……어째서 그렇게 딱 잘라 말하는 거야?"

"그야 너는 타인을 눈곱만큼도 좋아하지 않잖아. 아니, 이 세상 모든 사람들을 내려다보고 있잖아?"

"그건……."

『사와무라 양, 당신이 나에 대해 뭘 안다는 거야?』라는 말로 논파해버릴까도 생각했지만, 우타하는 참았다.

……즉, 『논파를 한다』라는 생각을 품은 것 자체가 상대를 내려다보는 것이나 다름없다는 사실을 이제 와서 깨달았기

때문이다.

"네 책이 독자를 감동시키는 건 단순한 능력이잖아? 재능이잖아?"

"윽……"

"즉, 너는 그저 사람의 감정을 자신의 테크닉으로 흔드는 것뿐이네……."

"사와무라 양……?"

에리리에게 뜻밖의 반격을 받은 우타하는 어안이 벙벙해하면서 수세에 처했다.

"그 안에는 진심도 없고, 정열도 없어. 항상 차분하고, 그래서 냉정하게 중요한 장면에서 작품 안의 텐션을 끌어올릴 수 있는 거야."

그것은 지금까지 에리리가 보여준 얼간이 같은 모습에 비춰볼 때, 그저 지는 게 싫어서 입에서 나오는 대로 지껄여대는 것처럼 들리기도 했지만…….

"자신도 작품에 빠져 버린 작가라면 그런 짓은 할 수 없어."

하지만 우타하는 이때만큼은 강하게 부정하거나 반박하지 않았다. 끈기를 가지고 침묵한 채, 에리리가 하고 싶은 말을 전부 다 할 때까지 기다렸다.

"만약 빠져들더라도 그것은 계산된 행동이야. 자신의 작품에 감동하는 자신을 컨트롤해서 더 좋은 작품을 만들기 위해 계산적으로 행동하고 있는 거라구."

왜냐면 그것은 진심 어린 의견이기 때문이다.

"속았어……."

그리고, 속은 사람의 의견이기 때문이다.
^{감동한}

"이렇게 속이 시꺼면 사람이 진심으로 소설 같은 걸 쓸 리가 없어. 자신의 체험을, 피를, 살을 잘라내서 팔 리가 없다구……."

게다가 그것은, 크리에이터로서의 의견이 틀림없었기 때문이다.

"뭐, 2차 창작 에로물이나 팔아대는 작가한테 이런 말을 들어봤자 아프지도 가렵지도 않겠지만 말이야."

"시끄러워."

하지만 우타하는 끝까지 들은 후에 반격하는 것을 잊지 않았다.

"그래도 재미있는 의견이야. 어찌 보면 최고의 칭찬일지도 몰라."

"칭찬한 적 없어."

"하지만 만약 자신의 생각대로 독자의 감정을 컨트롤할 수 있다면 그건 최강의 작가라고 할 수 있지 않겠어?"

"……그건, 그래."

"하지만 그럴 수가 없기 때문에 작가라는 인종은 수도 없이 존재하는 것이고, 그럴 수가 없기 때문에 성공하는 사람은 그 중에서 한 줌밖에 되지 않는 거야."

"······하지만 한 명의 독자<ruby>를<rt>토모야</rt></ruby> 조종하는 거라면 그렇게 어렵지도 않겠지?"

에리리의 시선에 또 원망이 어렸다.

"······그게 무슨 소리야?"

그 시선을 받은 우타하의 시선 또한 흉포해지기 시작했다.

"단 한 사람의 의견을 듣고, 그 의견에 따라 이야기를 진행해서 더욱 자신에게 빠져들게 만든다······. 그럴 생각인 거지?"

"뭐······라구?"

"남자를 자기 입맛대로 조종하려는 거잖아······. 그 테크닉으로 말이야!"

"사와무라 양처럼 에로로 남자를 흥분시키는 사람에게 그런 말을 들어봤자 아프지도 가렵지도 않아!"

그리고 이렇게 되어 버리면, 이 두 사람은 멈추지 않는다······.

"저기, 역시 딱 잘라 물어봐야겠어. 너와 토모야는 어떤 사이야?"

"그건 내가 할 말이야. 당신은 대체 언제부터 그와 알고 지낸 거야?"

"그, 그야······ 너무 옛날 일이라 생각 안 나."

"윽?! 사와무라 양, 설마 당신이 아까 말했던 『순결을 바칠 상대』가 설마······."

"무, 무무무무, 무슨 소리를 하는 거야?!"

82페이지 참조

"말했잖아! 겨우 수십 분 전에, 복도에서 말이야."

"몰라! 나는 아무 것도 모른다구!"

"소꿉친구? 역시 당신들은 소꿉친구 사이인 거야?!"

"그게 뭐 어쨌다는 거야?!"

"……사, 사람과 사람의 인연은 시간만으로 잴 수는 없다구."

"……순식간에 빠진 사랑일수록, 그 사랑에서 깨어나는 것도 순식간이라고 하던걸?"

"소꿉친구는 애니메이션이나 게임에서 대개 패배자 캐릭터지?"

"연상 캐릭터가 메인 히로인이 되는 작품은 손에 꼽을 정도야."

"금발 외국인 캐릭터는 캐릭터 밸런스를 잡기 위해 순위가 뒤로 밀려."

"흑발 롱헤어 캐릭터의 사랑은 너무 지독해서 주인공을 불행하게 만들기 십상이야."

"진짜로 지독할 정도의 사랑을 해서 주인공의 걸림돌이 되는 건 대부분 소꿉친구잖아!"

"그 소재, 아까 써먹었거든?! 작가 주제에 같은 소재를 두 번이나 쓰는 거야?!"

"……윽."

"……윽."

『이럴 생각이 아니었는데……. 싸우러 온 게 아닌데, 나 왜 이러는 거야…….』

『아아~ 정말, 사랑메트의 작가가 눈앞에 있는데, 나 지금 뭐하고 있는 거야…….』

『이래서는 그 카피지에 대한 이야기를 절대 못할 거야.』

『평생 사인 받는 건 글렀네.』

『하지만…….』

『그건 그렇고…….』

『이 애, 정말 못났네.』

『이 사람, 정말 못났어.』

에필로그

방과 후 시청각실에 스며드는 저녁노을이 드디어 시원한 바람을 동반하게 된 9월 중순.

"뭐가 어떻게 된 거야? 주말 동안 시나리오에 진척이 전혀 없잖아!"

……하지만 그런 상쾌한 공기를 눈 깜짝할 사이에 한 여름의 후덥지근한 공기로 바꿔버릴 듯한 마찰계수가 높은 목소리가 평소처럼 실내에 울려 퍼졌다.

"카스미가오카 우타하! 이게 대체 어떻게 된 일인지 설명해 줄 거지?"

그 목소리의 주인은 교실 한가운데에서 마치 자신이 있는 곳이 세상의 중심이라는 듯한 태도를 취하며, 여러모로 콤팩트한 몸을 크게 보이려는 것처럼 허세…… 아니, 위세를 부리는 여자애였다.

"……나는 서클 활동 이외에도 할 일이 있다는 건 다들 아는 사실이잖아?"

한편, 마찰열 때문에 뜨거워진 금속을 순간적으로 식혀버리는, 드라이아이스의 새하얀 연기와 함께 방출된 듯한 목소리가 들려왔다.

"게다가 서클 대표와 상의해서 허가를 받았어. ……그러니 신경 쓸 가치도 없는 말단 스태프가 눈을 부릅뜨며 그딴 소리를 하는 건 월권행위가 아닐까?"

"뭐?!"

아, 전에도 말했지만 인격은 드라이아이스처럼 새하얗지 않거든? 시꺼멓거든?

……뭐, 아무튼 그 목소리의 주인은 교실 창가에서 자신이 있는 곳이 세계의 특이점이라는 듯한 태도를 취하며, 여러모로 볼륨 넘치는 몸을 무의식적으로 과시하고 있는 냉혈…… 아니, 냉정한 여성이었다.

허세를 부린 소녀의 이름은 사와무라 스펜서 에리리.

그리고 냉혈한 여성의 이름은 카스미가오카 우타하…… 아, 본심이 드러났다.

"아무리 이미 이야기가 됐다고 해도 그렇게 멋대로 판단을 내리면 곤란하다구……. 나는 오늘부터 새 시나리오에 나오는 캐릭터 디자인을 해야 하는데, 시나리오가 나오지 않으면 작업을 할 수 없단 말이야."

"기존 캐릭터의 추가 표정 패턴이라든가, 기존 이벤트의 러프 등, 사와무라 양이 할 일은 얼마든지 남아 있잖아. 작업

순서가 조금 변경된다고 해서 작업에 차질을 빚을 것 같지는 않은데?"

"현재 내 머릿속은 캐릭터 디자인 모드라구! 모드 변경하는데 하루는 걸린단 말이야!"

"그건 리스크를 예상하지 못한 사와무라 양의 자기 책임으로 귀결되지 않을까?"

뭐, 대화만 들으면 긴박한 상황 같지만, 프로(대체 무엇의)에게는 가벼운 장난을 치고 있는 것으로 느껴진다는 지금은 바로 방과 후 서클 활동 시간이다.

우리가 소속된 게임 제작 서클 『blessing software』는 동인 미소녀 게임을 제작해 겨울 코믹…… 아, 이 설명은 이미 했지. ^{프롤로그 참조}

아무튼, 우타하 선배의 시나리오는 오늘까지 완성하기로 한 만큼 진척 되지 않았다. 아니, 분량이 1킬로바이트도 늘어나지 않았다.

뭐, 사실 나는 지난주 토요일에 이렇게 될 거라는 이야기를 들었으며, 원래라면 이 사실을 원화 담당에게 연락해야 하지만 그러지 못한 내 잘못이다.

그러니 사태를 수습하기 위해서는 내가 두 사람 사이에 끼어들어서 진지하게 사과해야 한다.

하지만 계속 주저하고 있는 것은 또 하나의 숨겨진 사정이 있기 때문이다…….

그도 그럴 것이, 우타하 선배의 와고 시 로케이션 헌팅에 동반한 사람은 바로……

"카스미가오카 우타하. 너, 이번 주말에 대체 뭘 한 거야?"

"서클 활동 이외의 일이 있었다고 아까 말했잖아? 신작 라이트노벨의 로케이션 헌팅을 하러 와고 시에 갔다 왔어."

"정말이야? 뒤룩뒤룩 살찐 돼지처럼 외출이라면 학을 떼는 네가? ……아, 미안. 비유가 적절하지 못했네. 말이 잘못 나왔어. 후후후."

"……사와무라 양, 단순히 비유를 했을 뿐이니 사과할 필요는 없지 않아? 당신이 뭘 신경 쓰는 건지 전혀 모르겠는걸?"

"아……."

그 순간, 왠지 내 머릿속에 『아, 큰일 났다』라는 신탁이 내려온 느낌이 들었다.

왠지 방금 에리리가 한 쓸데없는 도발에 어디 사는 누구씨가 안이하게 넘어가면서, 사태가 더욱 골치 아파질 위험성이 있다는 하늘의 목소리가……

"저, 저기, 에리리. 우타하 선배…… 그런 것보다 작업을……"

결국 묘한 불안감을 느낀 나는 한시라도 빨리 사태를 수습하기 위해 두 사람 사이에 끼어들었고……

"아무튼 와고 씨까지 갔다면 증거를 내놔봐, 증거를! 로케이션 헌팅 사진 같은 게 있을 거 아냐!"

"그런 걸 일일이 제시할 필요성은 느끼지 못하겠는데…… 그래. 그럼 거기서 식사를 한 레스토랑의 네임카드라도……"

"자! 이걸로 에리리도 납득했지? 그럼 이 이야기는 이만 끝······."

"······저기, 카스미가오카 우타하."

"사와무라 양, 이제 됐지? 나, 주말에는 와고 시에서······."

"······이 『HOTEL 아쿠아』는 뭐야?"

FD 140페이지 참조

"그 이야기 좀 그만하자고 했잖아?!"

역시 어디 사는 누구 씨는 확신범이다······.

우타하 선배

잘못된 의미에서도, 올바른 의미에서도 말이다.

"윤리 군, 어떡하지? 너와 함께 와고 시의 호텔에 들어갔던 사실을 아무래도 사와무라 양에게 들킨 것 같아."

"뭐, 뭐, 뭐뭐뭐뭐뭐······ 뭐어어어어어어~?!"

"안 들어갔어! 입구, 그래, 입구까지만 갔다고!"

"아아아아아아아아아아아아아아아아아~~~!"

······그 후, 활동을 재개하기 위해 30분 정도가 헛되이 흘러가고 말았다.

※　※　※

"사인지?"

"······사와무라 양과, 나의?"

"응. 겨울 코믹마켓에 나가기로 결정됐으니까, 결의 표명 같은 느낌으로 말이야!"

그리고 30분 후.

오해가 풀려 겨우 진정한 에리리와, 에리리를 울린 덕분에 속이 후련해진 우타하 선배에게 나는 아무 것도 적히지 않은 사인지를 내밀었다.

"한가운데에 에리리의 일러스트, 오른편에 사인. 그리고 왼편에 우타하 선배의 사인을…… 아, 일러스트 캐릭터는 메구리로 부탁해!"

"뭐? 나는 일러스트까지 그려야 하는 거야?"

"그 정도는 괜찮잖아? 서클 멤버 모두의 보물이 될 거라고."

"그런데, 윤리 군은 서클 소유인 사인지를 어디에 장식할 생각이야?"

"……아, 아하하~. 역시 여기에 장식하는 건 무리일 테고, 어쩔 수 없으니, 우리에게 있어 제2의 부실 같은 곳인, 그러니까~."

"……즉, 윤리 군의 방이라는 거네?"

"뭐야. 그 Win-Lose-Lose틱한 거래……. 토모야, 너 혹시 이 사인지를 인터넷 옥션에 팔 생각인 건 아니지?"

"내가 그런 짓을 왜 해! 두 사람의 합동 사인이 나에게 있어 얼마나 가치가 큰 건데!"

"토모야……."

"윤리 군……."

그렇다. 카시와기 에리와 카스미 우타코의 콜라보 사인은 한쪽 팬에게 있어서는 군침이 도는 아이템일 것이며, 양쪽 팬에게 있어서는 둘도 없는 보물이리라.

"……뭐, 가치가 얼마나 되는지 알기 위해서 출품은 할지도 몰라. 아, 그래도 입찰 금액만 알면 바로 ID를 지우고 도망칠 거니까 안심해!"

"……그게 더 악랄한 짓 아냐?"

"이제 윤리 군이 아니라 쓰레기 군이라고 불러야겠네."

"아무튼 부탁해! 뭔가 우리 서클의 증표를 남기고 싶단 말이야……."

즉, 나도 그런 둘도 없는 보물을 손에 얻기 위해 전부터 기회를 노려온 것이다.

뭐, 서클의 프로듀서가 멤버에게 사인을 해달라고 부탁하는 것은 매너 위반이 틀림없다.

하지만 내가 정정당당하게 이 두 사람의 콜라보 사인을 받기 위해서는 다른 누군가가 이 두 사람을 콤비로 기용해줄 필요가 있다는 딜레마가 존재했다.

"정말, 토모야는 못 말린다니깐."

"사와무라 양. 그런 말 하면 안 돼. 무지막지하게 못난 여자의 향기가 나……."

그런 나의 절실한 사정을 아는지 모르는지…….

에리리는 입을 삐죽 내밀면서 승낙했고, 우타하 선배는 내 이마를 손가락으로 상냥하게 두드린 후, 역시 승낙의 뜻을 표시했다.

"두, 두 사람 다 고마워! 그럼 바로……."

내가 기쁨을 표시하면서 필통에서 사인펜을 꺼내려고 한 순간…….

"아, 그러면 나한테도 한 장 그려주면 안 될까?"

"……."

"……."

"……."

"아, 너무 뻔뻔했어? 미안해. 사와무라 양에게 부담이 크다면 일러스트는 빼고 사인만이라도 괜찮은데……."

"아, 아냐, 메구미. 그건 괜찮은데……."

"응. 사인 정도라면 얼마든지 해줄게, 카토 양. 그것보다……."

너, 언제부터 거기에…….

그러고 보니 오늘 이 녀석이 가장 먼저 서클 활동을 하러 왔었지…….

"그럼 나는 편의점에 가서 사인지를 더 사올게."

"응. 아직 시간 있으니까 너무 서두르지 마."

"저, 저기, 메구미!"

"응? 에리리, 왜?"

"……사인지, 괜찮다면 한 장 더 부탁해도 될까?"

"……미안하지만 카토 양. 두 장 더 부탁해."

"에리리? 선배?"

"……."

"……"

"……응. 알았어. 그럼 갔다 올게."

※　※　※

그렇게 해서……

사와무라 스펜서 에리리와, 카스미가오카 우타하.

카시와기 에리와, 카스미 우타코.

토요가사키 2대 미녀가 토요가사키 2대 크리에이터로서 만난 지 1년 후……

두 사람은 그렇게 염원했던, 서로의 사인을 손에 넣는데 성공했다고 한다.

(최초 수록 : 드래곤매거진 2014년 5월호~2015년 1월호)

그리고
용호는 신에게
도전한다

Saenai heroine no
sodate-kata Girls side

프롤로그

"너, 카스미 우타코 맞지?"

"그러는 당신은 누구죠?"

12월 31일. 겨울 코믹마켓 2일차 개장을 수십 분 정도 앞둔 도쿄 빅사이트의 동관(東館).

blessing software

자신들의 서클의 판매 준비를 매우 자연스럽게 남들에게 떠맡기고, 대량의 사람들과 물자가 난립하는 광대한 건물 안을 대충 돌아다니던 우타하는 서클 스페이스에서 50미터 정도 떨어진 통로에서 연상으로 보이는 여성과 마주쳤다.

원래 커뮤니케이션 장애…… 아니, 남들과의 긴밀한 관계를 그렇게 좋아하지 않는 우타하는 평소 같으면 「지금 바빠서요」라고 말하면서 이 자리를 벗어났을 것이다. 하지만 지금은 멈춰 서서 상대의 얼굴을 뚫어져라 노려보았다. ……뭐, 그런 태도를 취하니 진짜 커뮤니케이션 장애 같아 보였지만 말이다.

"준비회 사람중에 네 사인회에 갈 만큼 광팬이 있거든. 그

프롤로그 ●109

애가 아까 가르쳐줬어."

"팬?"

"응. 『blessing software에 진짜로 카스미 우타코가 왔어!』라고 말하면서 총본부에서 난리법석을 떨더라구."

"……."

"아, 나는 퍼뜨리고 다니지 않았으니 안심해. 그저 너와 이야기를 좀 나누고 싶을 뿐이거든."

"……당신도 준비회 사람인가요?"

"아니, 나는 단순한 네 팬이야."

순간, 우타하는 상대의 거짓말을 간파했다.

단순한 팬이라면서 좋아하는 작가와 대화를 나누는데 너무 당당했다.

우타하에게 있어 『단순한 팬』이라는 것은 얼굴을 마주하자마자 이쪽에서 아무 말도 하지 않는데 작가의 작품에 대해 뜨겁게 이야기하고, 꿈이라도 꾸는 듯한 표정을 지으며 황홀해하면서 혼자 결론을 내지만, 작가와 팬이라는 거리감을 필요 이상으로 의식할 만큼 윤리관에 얽매인 인간…….

……뭐, 그 인식도 꽤 이상하기는 했지만, 아무튼 눈앞에 있는 여성은 평범하게 생각해도 순수한 팬처럼은 보이지 않았다.

외모로 볼 때 나이는 서른 전후로 보였다. 키는 약간 작지만 슬렌더한 체형을 지녔으며, 긴 머리카락을 머리 뒤편으로 모아 묶어서 중성적인 분위기를 자아내고 있었다.

그런 첫인상을 뒷받침하듯 말투와 태도는 묘하게 러프했으며, 커뮤니케이션 장애…… 성미가 까다로운 편인 우타하도 첫 대면에서 평범하게 이야기를 나눌 수 있을 만큼 마음이 넓어 보였다.

그 분위기는 우타하가 유일하게 속을 터놓고 이야기를 나눌 수 있는 성인 여성을 방불케 했다.

마치다 소노코

하지만 커뮤니케이션을 취할 수 있는데도 불구하고, 우타하의 머릿속에서는 아까부터 정체불명의 경적이 울려 퍼지고 있었다.

"그런데 무슨 일이죠? 저는 이만 서클로 돌아가야 하는데요."

"가능하면 여기에 사인해줬으면 하는데…… 안 될까?"

"그걸, 어떻게 손에 넣은 거야?"

"뭐, 인맥과 정보망 같은 걸 나름 동원했다고나 할까?"

"당신……."

그 경적의 이유 중 하나는 아마도, 상대의 의표를 하나하나 찌르는 듯한 빈틈없는 언동이었다.

여성이 내민 것은 카스미 우타코의 작품이기는 하지만, 이 세상에 나와 있는 카스미 우타코의 대표작 『사랑에 빠진 메트로놈』이 아니었다.

그 뿐만 아니라, 그 작품에는 카스미 우타코라는 이름이 들어가 있지 않았다.

시판되는 값싼 DVD 케이스에 붙어 있는 간소한 문자 스티

커에는 『cherry blessing ～돌고 도는 은혜의 이야기～』라는 타이틀이 적혀 있었다.

그것은 원래 몇 분 후인 <ruby>코믹마켓 시작<rp>(</rp><rt></rt><rp>)</rp></ruby>10시가 되어야만 손에 넣을 수 있는 작품이다.

지금 단계에서는 준비회에 제출하는 샘플, 그리고 인근 서클에게 나눠줄 인사용만 풀린 초 레어 아이템인 것이다.

"오래간만에 미소녀 게임이라는 걸 재미있게 즐겼어. …… 고전적인 느낌이 물씬 드는 좋은 작품이던걸."

"……이미 플레이해본 거야?"

"루트 하나만 말이야."

그리고 무슨 의미를 지닌 것인지 알 수 없는 상대의 공세는 계속 되었다.

서클 멤버 이외에, 아직 한 자릿수 이하의 물량만 풀린 이 타이틀을 플레이해봤을 뿐만 아니라, 한 루트였더라도 클리어해본 사람은 눈앞에 있는 이 여성이 유일하리라.

아니, 그것만이 아니라…….

"거짓말이지?"

"왜 그렇게 생각해?"

이렇게 우타하가 초면인 상대를 탄핵하는 것도, 그녀가 커뮤니케이션 능력에 문제가 많다는 점을 고려하더라도 무리가 아니었다.

그 여성이 들고 있는 타이틀, 『cherry blessing』은 시나리오 용량만 2메가가 넘는다.

설령 서브 히로인용 루트 하나만 하더라도 500킬로바이트를 간단히 넘는, 동인 소프트치고는 대작이라고 해도 과언이 아닌 볼륨을 자랑하는 것이다.

그러니 겨우 한 시간 전에 이곳에 반입된 그 게임을 이 시점에서 한 루트라도 클리어한다는 것은 상식적으로 말이 안 된다.

하지만······.

"스킵 속도를 좀 더 올려줬으면 좋았을 텐데 말이야. 그랬으면 한 루트 정도 더 해볼 수 있었을 거야."

"······설마, 올 스킵으로 CG만 본 거야?"

"응? 무슨 소리 하는 거야. 텍스트도 전부 읽었어."

"그러니까, 그건······."

"거짓말이라고 생각해?"

"······."

"정신없이 바쁘게 인생을 살다보면 그 정도는 할 수 있게 돼."

"······그런 플레이는 모독이야."

"뭐, 크리에이터가 의도한 플레이 방식은 아닐지도 모르지. 하지만 가능한 한 그에 맞추려고 했어."

"그러니까, 그런 건 불가능······."

"처음에 나온 BGM을 한 번 더 반복해서 들어두는 거야. 그리고 음악의 길이와 그 신에서의 텍스트 총량을 통해 신의 예상 플레이 시간을 산출한 후, 머릿속으로 그와 같은 속도의 시간축으로 재구성하는 거지."

"무슨……."

"그러면 크리에이터가 노리고 만든 연출을 그대로 즐길 수 있어……. 뭐, 내 시간축 안에서만 통용되는 이야기라서 다른 사람에게 설명하는 건 좀 힘들지만 말이야."

"……무슨 말을 하는 건지 이해가 안 돼."

"뭐, 추천은 안 해. 아무나 할 수 있는 것도 아니거든."

누가 들어도 우타하의 말이 옳게 느껴질 것이다.

그녀가 말하는 플레이 방식은 액션이나 RPG의 초스피드 플레이와는 다르다. 방법만으로는 아무나 할 수 있는 것이다.

하지만 그런 방법으로 어드벤처 게임을, 스토리와 연출을 통째로 즐길 수 있는 인간은 보통 이 세상에 존재하지 않을…… 것이다.

"나한테 시비 거는 거야?"

"아까도 말했지? 나는 카스미 우타코의 평범한 팬이야."

"그런 말도 안 되는 변명……."

"그리고, 카시와기 에리의 팬이기도 해."

우타하의 등을 타고 한기가 흘렀다.

그것은 뱀의 혀가 등을 핥은 듯한, 불쾌하고, 오한을 느끼게 하며, 기분 나쁘고, 그리고 약간 자극적인 감각이었다.

"당신, 누구야……?"

우타하의 질문에 답하지 않은 여성은 호주머니에서 명함을 한 장 꺼내 우타하에게 내밀었다.

"또 봐. 선생님……."

그리고 우타하가 반사적으로 명함을 받은 순간, 더는 볼일이 없다는 듯이 돌아서더니 눈 깜짝할 사이에 인파 사이로 사라졌다.

명함을 본 우타하는 경악에 찬 표정을…… 짓는 등의 격렬한 반응을 보이지 않았다.

하지만 납득이 되었다는 듯한, 처음부터 알고 있었다는 듯한 담백한 표정을 지은 그녀는 혐오감이 훤히 드러나는 쓰디쓴 표정을 지으며 그 자리에서 벗어났다.

명함에 직함은 적혀 있지 않았다.

아니, 그렇지 않다.

그 이름이야말로, 직함이었다.

『코사카 아카네』.

ACT1

온화한 정체(停滯)

2월 초.

곧 겨울이 끝날 시기인데도 불구하고 전혀 그런 기척이 느껴지지 않는 추운 어느 밤의 일이다.

"저기, 토모야."

『응?』

"이 그림이 완성되면, 같이 어디 놀러가지 않을래?"

『네가 밖에 나가는 걸 귀찮아하지만 않는다면 말이야……』

"나도 1년에 한 번 정도는 나가고 싶어질 때가 있어."

『빈도가 정말 낮네……』

"그것보다 갈 거야? 말 거야?"

『뭐, 일단 끝내고 나서 생각하자. 다 끝나면 아키하바라든, 나스 고원이든, 어디든 같이 가주겠어.』

"아, 나스 고원은 더 이상 싫어."

『아하하. 그럴 거야.』

"뭐, 이쪽은 현재 그런 느낌이야. 그럼 끊을게."

『응. 나중에 봐.』

그런 별 것 아닌, 하지만 소중하기 그지없는 통화를 끝낸 후에도, 에리리는 잠시 동안 자신의 핸드폰을 멍하니 바라보았다.

그 표정에는 당황도, 분노도 어려 있지 않았다. 그렇다고 좋아 죽으려고 하는 것도 아니며, 그저 멍한…… 이 표현을 쓰면 묘사에 구별이 되지 않으니 옅은 미소를 짓고 있는 듯한 온화한 표정이라고 표현하겠다.

아무튼 그 표정이 여유에서 우러나온 것인지, 충실감에서 우러나온 것인지는 알 수 없지만…… 아니, 어느 쪽이든 크게 차이는 없었다.

에리리는 아까 통화를 한 상대…… 즉, 토모야와 해가 질 때까지 별 것 아닌 이야기를 나눴다.

그것은 8년 전 부모님께 「슬슬 저녁 시간이니 통화를 끝내렴」 같은 말을 들었던 행위.

그리고 최근까지는 두 사람 사이에 존재했던 응어리 때문에 「조금만 더……」라고 말하지 못했던 행위.

"좋아!"

조금 더 선진적이면서, 아주 조금 제멋대로인 일상 이벤트를 온몸으로 즐긴 에리리는 힘찬 목소리로 기합을 넣으며 책상 앞에 앉았다.

아까까지 피하고 있었던 책상에 말이다.

  그리고 역시…….
  통화를 하는 사이, 세계는, 현실은 전혀 변하지 않았다는
사실을 깨달았다.

  "어? 어? 이상하네……?
  그때는 그릴 수 있었는데…….
  나스에서, 혼자서 노력했던 그 때는 그릴 수 있었는데……?"

  에리리의 그 혼잣말에는 그녀 자신도 눈치채지 못한 실수
가 존재했다.
  에리리는 그림을 그릴 수 있었다.
  첫 그림은 10분도 채 지나기 전에 선화(線畵) 레벨까지 완
성됐다.
  게다가 작업의 흐름은 보는 이들이 반할 정도였다.
  지극히 자연스럽게 손을 움직이자, 그에 맞춰 선이 그어졌다.
  완전히 구축된 흐름 안에서 명확한 데생이 완성되어 갔다.
  그리고 눈 깜짝 할 사이에 완성된 그 그림은 모에하고, 꽤
나 귀여운, 평소와 다름없는 카시와기 에리 풍 미소녀였다.
  "……이게 뭐야."
  하지만 에리리는 자신이 그린 스케치를 구겨버리더니, 한숨
을 내쉬면서 쓰레기통을 향해 던졌다.

그 후에도 에리리의 도전은 계속되었다.

손을 쉴 새 없이 놀리면서, 정성에 정성을 들여 완성한 그림.

반대로 마음껏 거칠게 그린 그림.

끝내는 안경을 벗어 잘 보이지 않는 상태에서 그린 그림.

하지만······.

"이게, 뭐야······."

그 그림들 중 에리리가 조금이라도 납득할 수 있는 것은 존재하지 않았다.

왜냐하면, 그것은 카시와기 에리의 작년 그림이니까.

카시와기 에리에게 있어 과거의 잔해니까.

지금의, 작년 나스 고원에서의 경험을 통해 개화시킨, 새롭게 태어난 카시와기 에리의 그림이 아니니까.

새롭게 태어난 카시와기 에리에게 있어서는 부끄러운 정도가 아니라 추악함마저 느끼게 하는 졸작이니까······.

※　※　※

2월 초, 저녁 시간대의 시청각실.

"그럼 나는 교무실에 갔다 올게."

『blessing software』의 방과 후 서클 활동은 겨우 10분 만에 끝났다.

하지만 요즘 들어서는 매번 이랬다.

그도 그럴 것이 게임도 완성되었고, 겨울 코믹마켓……은 몰라도 숍에서의 위탁 판매도 (1차 출하량은 순식간에 다 팔려버리기는 했지만) 순조롭게 진행되고 있었으니까.

서클 멤버가 (오늘도) 전원이 모이지 않았으니까.

그리고 무엇보다, 논의를 할 내용에…… 진척이 없으니까.

"잘 들어, 토모야. 괜한 변명이나 주장이나 열변을 토하지 말고 무조건 사과해. 괜히 반항했다간 설교가 끝나지 않을 거라구."

"……알았어. 패배를 경험하고 오겠어. 그럼 좀 있다 봐."

참고로 말하자면 서클 대표가 학교에 가지고 온 게임 소프트를 소지품 검사 때 걸려 교무실로 불려가게 되었다는 뜬금없는 이유도 있었으니까.

"정말, 어이없는 실수를 다한다니깐……."

그런 얼간이 같은 서클 대표를 배웅한 에리리는 가방에서 만화책을 꺼내더니 시간 때울 겸 읽기 시작했다.

"……단순히 운이 나빴던 게 아닐까? 만약 소지품 검사를 2-B가 아니라 2-G에서 했다면, 지금쯤 교무실에 불려가는 건 당신이었을 거야. 사와무라 양."

"거 되게 시끄럽네……."

그런 식으로 당당하게 교칙 위반 아이템을 교내에서 펼친 에리리에게, 이미 하교할 준비를 마친 우타하가 말했다.

"그리고 윤리 군이 가지고 있던 게임 소프트는 어차피 당신에게 빌려주려고 가지고 온 거였지? 덤터기를 썼다고 하기는 좀 그렇지만, 완전 공범이네."

그리고 토모야가 가지고 있던 게임 소프트는『그 눈의 프리즘 ~white halation~』이었다. 에리리가『초회 특전판 예약을 놓쳤어~!』라고 떠들어댔던 타이틀이었던 것이다.

"나한테는 교내에서의 이미지가 있단 말이야~."

"요즘은 위장이 꽤 벗겨진 것 같던데? 슬슬 손을 쓰지 않으면 들통날걸?"

"정말 시끄럽네~. 빨리 돌아가버리라구."

에리리는 우타하의 진심이 어리지 않은 충고를 무시하면서 만화에 집중했다.

"사와무라 양, 당신이야말로 서클 활동이 끝났는데 돌아가지 않는 거야?"

"남이 뭘 하든 신경 쓰지 말라구."

"혹시 윤리 군을 기다리는 거야?"

"…………신경 쓰지 말라고 방금 충고했을 텐데?"

"당신, 지금까지『함께 하교하다 친구라는 소문이라도 퍼지면 부끄럽다』면서 남들 앞에서는 윤리 군과 이야기도 나누지 않으려고 했지? 그런데 요즘 들어 꽤나 우호도와 두근두근도가 올라간 것 같네……. 하지만 알고 있어? 두근두근도가 올라갈수록 폭탄은 터지기 쉬워."

"나는 너와 달리 나쁜 소문이 퍼지지는 않으니까 문제될 게 없다구!"

에리리가 아무리 시치미를 떼더라도, 우타하가 심리전으로 그녀에게 질 리가 없었다…….

"역시 윤리 군을 기다리는 거네. 결국 밤늦게까지 그는 돌아오지 않고, 분노에 사로잡힌 당신은 책상을 걷어차며 화풀이를 한 후 울면서 돌아가겠지……. 아아, 불쌍한 불행 계열 소꿉친구……."

"그렇지 않아! 금방 돌아오겠다고 약속했단 말이야!"

"흐음, 약속했어? 언제? 몰래?"

"큭……."

그렇다. 우타하는 몇 겹으로 함정을 파서 상대가 도망칠 곳이 없는 상황으로 몰아넣은 후, 야금야금…… 아니, 주의 깊게 공세를 펼치고 있었다.

하지만…….

"……불만이라도 있어?"

"……아냐."

우타하는 에리리의 반응이 작년까지와 명백하게 다르다는 것을 느끼고 있었다.

지금까지 에리리는 토모야와의 일로 놀리거나, 딴죽을 걸거나, 궁지로 몰아넣으면, 그대로 뚜껑이 열리거나, 으르렁거리거나, 울상을 지은 후, 마지막에는 토모야와의 관계를 부정했다.

하지만 올해 들어서는 뚜껑이 열리거나, 으르렁거리거나, 울상을 지은 후, 그리고…….

"내가 누구와 같이 하교하든 카스미가오카 우타하와는 상관없잖아?"

"확실히 나와는 상관없지만, 그러다 친구에게 걸리면 어떻게 할 거야?"

"그런 걸로 이상한 오해나 하는 녀석들을 친구로 인정할 거라고 생각해?"

"……그건 그래."

그리고 절대, 토모야와의 관계를 부정하지 않았다.

마지막에 가서 고집을 피우지 않았다.

놀림을 받아도, 져도, 울음을 터뜨릴지라도, 어딘가 안절부절 못하면서, 왠지 즐거운 듯이, 그리고 자랑스러워하면서 말이다.

그것은 츤데레의 황금비율이 붕괴된 듯한, 에리리의 별 것 아니지만 커다란 변화였다.

하지만…….

"그것보다 사와무라 양……."

"이번에는 또 뭐야? 나는 할 이야기가……."

"새로운 패키지판의 그림은 언제 완성돼?"

"……."

하지만 즐거워 보이는 에리리가…….

우타하의 눈에는 마치 또 하나의 현실을 어딘가에 두고 온 것처럼 보였다.

"분명 꼭 해야 하는 건 아냐. 하지만 당신이 하겠다고 한 거잖아?"

"……알아."

그녀들의 서클인 『blessing software』가 제작한 동인 게임 『cherry blessing ～돌고 도는 은혜의 이야기～』는 이번 겨울에 조그마한 전설을 만들었다.

겨울 코믹마켓 때까지 패키지판을 완성하지 못했기에, 한 달 후에 시작된 숍 위탁 판매에서 원하는 사람들에게 전달될 줄 알았던 이 소프트는 1000개를 하루 만에 팔아치웠다. 그리고 현재는 그것의 몇 배나 되는 재주문을 받은 상태다.

그리고 대 히트를 거둔 『blessing software』는 다음 입하분에서는 패키지 리뉴얼을 하겠다는 계획을 세웠다.

하지만 그 리뉴얼 패키지판은 현재 『제반사정』으로 인해 입하일이 정해지지 않았다. ^{에리리의 슬럼프}

"딱히 남자에 빠지지 말라는 건 아냐. 나도 그런 경험을 한 적이 있으니 이해가 되지 않는 건 아냐……."

"남자에게 빠진 적 없고, 네 경험담도 거짓말이잖아!"

"하지만 동인이든 상업이든 맡은 일은 제대로 해. 당신은 크리에이터잖아?"

"……아직 작년 말에 걸린 감기가 완전히 낫지 않았을 뿐이야. 컨디션만 회복되면 금방……."

"새해가 되고 한 달 넘게 지났는데도?"

"나, 나, 어릴 적에는 한 달 넘게 쉴 때가 많았다구! 입원한 적도 있단 말이야!"

「지금은 애가 아니잖아?」라든가 「그거야말로 애들 변명이네」라든가 「링거 맞으면서 일하는 작가도 산더미처럼 있어」라든가……. 우타하의 머릿속에는 에리리를 몰아붙일 말이 산더미처럼 존재했다.

"……그럼 빨리 나아."

"네가 그딴 소리 안 해도 그럴 거야."

그래도 우타하는 에리리가 펼치는 구멍투성이 논리의 허점을 찌르지 않았다. 그저 미묘한 표정과 태도를 취한 채 그녀를 향한 의문을 보류시켰다.

역시 우타하는 에리리의 반응이 작년까지와는 명백하게 다르다고 느끼고 있었다.

지금까지 에리리는 이렇게 간단히 뭔가를 포기하지 않았다.

몇 번이나 마감 직전에 긴박한 사투를 벌였지만, 그 아슬아슬한 상황에서 어떻게든 작품을 완성시켰다.

그리고 양과 질이 아주 조금 떨어져서 주위 사람들에게 폐를 끼치기는 했지만, 그 모든 것을 자신의 책임으로써 받아들이며 변명을 하지 않았다.

하지만 그런 에리리가 올해 들어서는…….

'아냐. 그녀의 말대로 병 때문에 마음이 약해진 것뿐일 거야.'

우타하는 마음속에서 솟구치는 불길한 의문을 억지로 억

눌렀다.

그리고 실은 전혀 믿지 않는 에리리의 변명을, 전심전력을 다해 믿었다.

분명, 그녀는 곧 원래의 카시와기 에리로 돌아올 것이다.

분명, 따뜻한 봄이 되면 컨디션을 회복할 것이다.

그렇다. 봄이 되면 말이다.

자신이 이 토요가사키 학원을 졸업할 즈음에는……

"그런데 사와무라 양. 당신 아까부터 뭘 읽고 있는 거야?"

"『그 눈의 프리즘 ~dear my old friend~』…… 마리코 루트의 스핀오프 만화책이야."^{소꿉친구}

"……사와무라 양의 그런 점은 전혀 변하지 않네."

ACT2

서풍(西風)의 기척

"마르즈?"

"응. 오사카에 있는 게임 회사야. 아무리 독서와 연하 남자애한테만 관심이 있는 시~ 양이라도 마르즈 정도는 알지?"

"……나를 속세를 떠난 쇼타콤 취급하지 말아줘."

2월 중순.

후시카와 서점의 제2회의실.

신작 『순정 헥토파스칼』의 발매를 며칠 앞두고 사인회 협의를 위해 이곳으로 온 우타하는, 자신의 담당 편집자이자 판타스틱 문고 부편집장인 마치다 소노코 여사에게서 뜻밖의 이야기를 들었다.

"마르즈의 게임 중에 『필즈 크로니클』이라는 시리즈가 있어. 아무리 독서와 한 살 연하의 같은 서클 남자애한테만 관심이 있는……."

"그건 이제 됐어."

"그 게임에 참가해줬으면 한대."

"누가?"

"마르즈가."

"누구에게?"

"카스미 우타코 선생님에게."

"……."

"아~, 이 이야기가 왜 우리에게 온 거냐면, 사실 옛날부터 우리가 『필즈 크로니클』 시리즈에 관여해왔거든. 노벨라이즈나 무크 같은 것도 매번 내고 있어. 아무튼 여러모로 짭짤한 이득을 내고 있는 거야."

"그런 이야기를 듣고 싶은 게 아니라는 건 알지?"

"……응."

정말 뜻밖의 이야기였다.

오사카에 있는 컨슈머 게임 회사인 마르즈는 우타하뿐만 아니라 게임을 즐기는 사람이라면 누구나 알 만큼 메이저한 회사다.

게다가 그곳의 『필즈 크로니클』이라는 타이틀은 RPG를 즐기는 사람 중에 모르는 사람이 없을 만큼 메이저한 판타지 RPG 시리즈다.

매번 나왔다 하면 수십만 개는 팔리는 RPG와, 매번 십만 권 정도의 매상을 올리는 작가라면, 매상적으로 볼 때 격이 아예 맞지 않는다고는 할 수 없겠지만…….

"대체 왜 『필즈 크로니클』 제작팀에 나를 넣으려고 하는 건데?"

"보통 그렇게 생각하는 게 정상이겠지?"

한쪽은 판타지 RPG, 다른 한쪽은 연애 라이트노벨 작가인 이 조합은 아마추어도 눈살을 찌푸릴 만큼 좋은 조합과는 거리가 멀었다.

"혹시 캐릭터에 맞춘 노벨라이즈 의뢰야? 주인공 파티의 일상 풍경을 그리는 치유계 같은 느낌의 작품 말이야."

"아냐. 그런 레벨의 이야기라면 『받아줄 수도 있지만 게임이 발매되고 1년 후에나 나올걸요?』 같은 소리를 하면서 거절해버렸을 테지만……."

"제발 부탁이니까 그런 식으로 거절하지 마. 작가의 평판에도 영향을 끼친단 말이야."

그러자 마치다는 가볍게 헛기침을 하면서 방금까지의 가벼운 태도에서 벗어나더니…….

"……최신작의 메인 시나리오를 맡아 달래."

"……뭐?"

확실히 가벼운 태도로 언급할 수 없는 오퍼 내용을 우타하에게 전했다.

"지금 우리 회사 상층부 쪽은 완전 축제 분위기야……."

"그러니까, 왜 그렇게 된 거야?"

"그도 그렇게 『필즈 크로니클』 시리즈는 원래 각 회사 간의 출판권 경쟁이 격렬하거든. 그런 돈 덩어리 타이틀의 게임 본편에 후시카와의 전속 작가가 참가한다면 어드밴티지는 상상을 초월할 거야."

"그러니까 그런 걸 묻는 게 아니라…… 그리고 은근슬쩍 나를 후시카와 전속이라고 말한 것 같은데, 그건 또 무슨 소리야?"

"나와 시~양 사이잖아?! 동인 활동 때문에 마감 어겨도 관대하게 봐줬던 걸 잊은 거야?!"

그리고 마치다는 무거운 분위기를 오랫동안 유지하지 못한다는 사실을 드러냈다.

"안 그래도 나와 판타지RPG라는 조합이 이해가 안 되는데, 메인 시나리오 담당? 그야말로 말도 안 되는 발탁이네."

"발탁이라는 말은 보통 말도 안 되는 인사(人事) 때나 쓰이는 거야. 나의 부편집장 취임 같은 것도 포함해서 말이야."

"마치다 씨는 내가 그런 걸 할 수 있을 리가 없다고 생각하지?"

"……."

"마치다 씨?"

마치다는 우타하의 그 질문을 듣고 『분해. 하지만……』이라고 말하는 듯한 복잡한 표정을 짓더니 고개를 명확하게 저었다.

"나는 카스미 우타코의 재능이라면 그런 좁은 장르 정도는 얼마든지 자기 걸로 만들 수 있다고 생각해."

"윽……."

평소라면 그런 말을 『아~ 예. 술 취했군요~』라고 말하면서 흘려들을 정도의 과대평가일지도 모르지만……

"당신이 노력가에 항상 작품 연구에 열심이며, 소설을 집필하면서도 전교 1등을 유지할 만큼 짜증나는 본성의 소유자라는 걸 알아. 그러니 『판타지RPG 시나리오 같은 건 식은죽 먹기예요』라고 상층부에도 말하고 싶어."

"……내가 그 의뢰를 맡았으면 하는 거야?"

"그럴 리가 없잖아!"

"마치다 씨……."

하지만 칭찬해봤자 아무 것도 생기지 않을 뿐만 아니라, 자신들의 목을 조를지도 모르는 상황에서 그런 말을 들으니 그 신빙성과 부끄러움이 상당했다.

"넌 내가 찾아냈어. 그리고 지금까지 2인3각 체제로 함께 노력해왔다구. 그런데 이제 와서 2부에 느닷없이 나타난 새로운 보스 같은 녀석에게 너를 빼앗기는 걸 납득할 수 있을 리가 없잖아."

"알았어. 무슨 말이 하고 싶은 건지 알았다구."

그래서 우타하는 볼과 눈동자를 동시에 붉히면서 갑자기 흥분한 마치다를 진정시킬 수밖에 없었다.

"절대 시키고 싶지 않아. 하지만 나 한 사람의 뜻만으로는 막을 수 없어……. 이건 그런 레벨의 안건이야."

우타하의 표정을 보고 약간 부끄러워졌는지 고개를 숙인 마치다는 기어들어가는 목소리와 함께 이를 가는 소리를 냈다.

"그래도 납득이 안 돼. 왜 나인 거야?"

"그걸 내가 어떻게 알아. 그래서 일단 상대방을 만나서 직접 이유를 묻는 수밖에 없어."

"하지만 나는 소설가야. 왜 나에게 게임 오퍼가……?!"

바로 그때, 자신이 내놓은 의문의 전제를 입에 담은 순간……

우타하의 뇌리에 이 일을 이면에서 조종하고 있는 이의 정체가 어렴풋이나마 떠올랐다.

"마치다 씨…… 나한테 이 오퍼를 한 사람은 구체적으로 누구야?"

"……동인도, 상업도, 그리고 그 이면의 어둠조차도 전부 알고 있는 프로 중의 프로야."

그렇다. 딱 한 명 있었다.

우타하를 게임 시나리오라이터로도 알고 있을 뿐만 아니라, 그 작품을 높이 평가했던 사람이 말이다.

"코사카, 아카네……."

"역시…… 알고 있었구나."

알고 있었던 것은 아니다.

하지만 힌트라면 곳곳에 존재했다.

하시마 이오리가 이끄는 『rouge en rouge』의 초대 대표이자, 지금도 서클에 강한 영향력을 행사하고 있는 인물.

즉, 결과적으로 본다면 우타하가 소속된 『blessing software』와 적대하고 있는 인물.

게다가 이쪽이 게임을 완성하기 전부터 간섭을 해왔을지도 모르는 인물.

"그럼 시~ 양…… 혹시 이것도 알고 있어?"

"이번에는…… 뭐야?"

"당신들의 서클, 시나리오라이터만이 아니라 일러스트레이터도 세트로 표적이 되었어."

"그 말은……."

하지만 처음 간섭을 했던 작년 여름, 그 때의 타깃은 우타하가 아니라…….

"카시와기 에리에게도, 오퍼를 넣었대……."

※　※　※

"그래. 너한테도 오퍼가 갔구나……."

"그렇다면 진짜로 사와무라 양에게도 오퍼가 들어왔던 거구나."

학교와 집 사이에 있는 통나무집 풍의 카페.

현재 시각은 방과 후인 오후 네 시.

그리고 날짜는 2월 하순의 평일.

"응……. 이쪽은 마르즈의 개발 본부장인 타네모토라는 사람이었는데…… 위키로 검색해보니 『필즈 크로니클 시리즈 통괄』이라고 적혀 있었으니까 아마 사기는 아닐 거라고 생각했어."

　평소 같으면 서클 활동에 힘쓰거나, 서둘러 집에 돌아가서 『일』에 몰두할 바쁜 시간대에 서로를 천적으로 인정한 두 사람이 단둘이서 얼굴을 마주하고 있다. 그들은 바로 서클 『blessing software』 안에서도 특히 협조성이 결여된 두 사람…… 사와무라 스펜서 에리리와 카스미가오카 우타하였다.

　……뭐, 원래 이 중편은 두 사람이 메인이니까 이런 귀찮은 소설적 인물 소개는 앞으로 안 해도 되지?

　"그럼 사와무라 양…… 당신은 답을 했어?"

　"아니, 아직이야."

　"그랬구나……."

　우타하가 전화로 만나자고 연락했을 때 에리리가 순순히 응했다. 그것은 며칠 후에 학교를 졸업하는 우타하와 지금까지의 응어리를 전부 버리고 화해해서 『졸업한 후에도 계속 친구야』 같은 맹세를 하기 위해서는 물론 아니었다.

　그저, 우타하에게는 에리리에게 확인해야만 하는 것이 있었다.

　그리고 에리리는 우타하가 뭘 확인하려는 것인지 짐작이 되었다.

　"하지만 나는 지금까지 여자애, 그것도 19금만 그렸는데…… 느닷없이 『필즈 크로니클』의 캐릭터 디자인을 맡아달라니……."

　"과연 그럴까? 그 게임의 인기 요소는 캐릭터니까, 카시와기 에리를 선택한 것도 납득은 돼……. 뭐, 실력 운운은 제쳐 두고 말이야."

"맞아. 실력 운운은 제쳐두더라도, 왜 카스미 우타코에게 오퍼가 들어간 건지는 전혀, 완전히, 눈곱만큼도 이해가 안 돼!"

하지만 그 짐작이라는 것은 서로의 실력 운운이 아니라…….

"하지만 네 말을 듣고 이해했어. ……그래. 흑막은 코사카 아카네였구나."

그렇다. 두 사람을 동시에 『필즈 크로니클』의 스태프로 발 탁한 것에 대한 정보 교환을 하기 위해서였다.

"그래서 사와무라 양……. 당신은 어쩔 생각이야? 맡을 거 야? 거절할 거야?"

"어쩔 생각이냐니…… 설마 너, 망설이고 있는 거야?"

"……응."

에리리의 반응은 우타하의 예상을 거의 벗어나지 못했다.

눈을 치켜뜬 그녀는 그런 질문을 받았다는 것 자체가 의외 라는 듯이 우타하를 응시했다.

그녀의 눈동자에 어려 있는 것은 가벼운 놀람과 약간의 어 이없음, 그리고 희미한 비난이었다.

아무래도 에리리에게는 그 『대작RPG의 메인 스태프』라는 파격적인 대우의 오퍼를 받아들인다는 선택지가 처음부터 존 재하지 않았던 것 같았다.

그저, 상대의 성의 있는 제안을 『어떻게 원만하게 거절할 것인가』에 관해 고민하고 있었던 것이다.

그런 에리리의 반응을 본 우타하의 가슴에 찾아온 것은 가벼운 안도감과, 약간의 쓴웃음……

"뭐, 뭐어, 카스미가오카 우타하가 망설이는 것도 무리는 아냐…… 곧 졸업하는데, 마음에 둔 남자는 나…… 다른 여자에게 빠져 자신을 쳐다봐주지 않잖아. 앞으로는 일에 빠져서 쭉 독신으로 살며 혼자 술집에나 가서 『남자 따위~!』 같은 한심한 소리나 해대는 인생을 살더라도 전혀 이상하지 않아."

"왜 당신은 자신에게 유리하도록 내추럴하게 필터 처리를 하는 거야?"

그리고 약간의 불만이었다.

"으음, 그쪽은 후시카와 서점과 얽힌 거구나."

"일단 데뷔 때부터 신세를 진 회사니까."

"그래. 그럼 골치 아프겠네……"

우타하의 (남자관계가 아니라) 사정을 들은 에리리는 그녀답지 않게 원수를 위로하는 듯한 태도를 취했다.

"뭐, 강요하고 있는 건 만나보는 것까지니까, 그렇게……"

"하지만 직접 만나는 건 위험하지 않아? 처음에는 거절할 생각이었는데, 화장실에 간 사이에 마실 것에 약이라도 타서, 도중부터는 머릿속이 멍해지고 정신 차리고 보니 호텔에서

삽입 직전 상황이라『어? 잠깐만! 그냥 하면 안 돼!!』같은 소리를 하면서 놀라게 될지도…….”

“언제부터 우리의 이야기가 당신의 19금 동인지 스토리 구성에 관한 논의가 된 거야?”

“뭐, 아무튼 조건 같은 걸 들으면 마음이 변하지 않을까?”

“하지만 나는 그렇게 궁핍하지는 않아……. 뭐, 당신만큼은 아니지만 말이야.”

“돈을 떠나서 기획 내용이 좋거나, 경력상 좋을 것 같다거나, 다른 스태프 중에 엄청난 멤버가 있다면…….”

“캐릭터 디자인 제1 후보가 카시와기 에리인 시점에서, 스태프 구성 쪽은 기대할 필요가 없는 거나 다름없어.”

“으, 나, 나도 시나리오라이터 제1 후보가 카스미 우타코라서 거절했다구!”

참고로 에리리는 10분 전에 시나리오라이터 후보자를 알았다.

“하지만 경력으로 본다면 확실히 매력적이네.”

“코사카 아카네의 부품으로서의, 경력이지만 말이야.”

“……그럴지도.”

오타쿠 업계에서 일하는 두 사람은 코사카 아카네의 이름과 실적, 실력에 대해 귀에 딱지가 생길 정도로 들었다.

물론 긍정적인 면과 부정적인 면, 양쪽 다 말이다.

그녀 자신의 빛이 너무 강해서 파트너나 부하를 그림자로 몰아넣고 만다.

작품의 질만이 아니라 프로모션에도 주저 없이 참견하며, 자신의 작품을 팔기 위해서라면 절대 타협하지 않는다.

추구하는 레벨이 너무 높아서 트러블에 휘말린 나머지 그녀의 곁을 떠나거나, 무너져 버리고 만 크리에이터는 셀 수도 없을 만큼 많다.

"……내가 같이 가줄까?"

"사와무라 양이?"

"응. 그리고 같이 거절하면 되잖아?"

그런 인간이 뒤에서 조종하고 있는 이상, 혼자서 찾아가 거절해본들 『아, 예. 그렇습니까』하면서 간단히 정리될 리가 없다고 생각하는 것은 어찌 보면 당연한 걸지도 모른다.

"하지만 아무리 같은 서클이라고 해도, 사와무라 양은 다른 방면에서 오퍼가 들어간 거잖아."

"그래도 상대는 우리 서클을 노리고 있는 게 틀림없다구."

"그렇다면 윤리 군이 같이 가야 하는 건지도 모르겠네."

"토, 토모야가?"

"응. 이럴 때는 서클 대표인 그와 상의하는 게 당연하지 않아?"

"그, 그건 그럴지도 모르지만……."

"난항하는 교섭. 계속해서 좋은 조건을 제시하면서 공세를 펼치는 마르즈 측. 그리고 드디어 『체념하고 만』 내가 승낙하려고 한 순간, 그가 자리에서 벌떡 일어나면서 이렇게 말하는 거야……."

『우타하 선배…… 나, 지금까지 계속 도망만 쳤어요.

이 관계가 계속 유지되었으면 좋겠다는 거만한 생각만 했어요.

하지만 선배가 내 곁을 떠날지도 모르는 지금, 드디어 깨달았어요.

……나에게는 선배밖에……!』

"헛소리 마아아아아아~!"

"딱 잘라 헛소리라고 말할 수 있어? 100퍼센트 절대 있을 수 없는 전개라고 단언할 수 있을까?"

광속으로 날아오는 트윈 테일 따귀를 맞으면서도, 우타하는 발음 하나 흐트러지지 않은 채 에리리의 딴죽을 봉쇄했다.

"할 수 있어! 왜냐면 같이 가는 건 나니까! 토모야가 아니니까!"

"하지만 네가 가봤자 의미가……."

"지금 괜한 걱정을 끼치면 그 녀석은 쓰러져버리고 말 거야! 안 그래도 요즘 메구미가 서클 활동에 참가하지 않아서 힘들어 하고 있다구!"

"……그건, 그래."

『윤리 군이 고민하고 있는 건 카토 양 때문만은 아니라고 생각하는데?』

……하고 딴죽을 날리려다 참은 우타하는 에리리를 쳐다보

았다.

"아무튼 내가 너와 함께 갈 거야! 묘한 상황이 벌어지지 않도록 철저하게 가드해줄 테니까 안심해!"

"그러니까 그렇게 걱정하지 않아도……."

"네가 없어져봤자 나는 전혀 아프지도 가렵지도 않지만, 토모야가 곤란해 할 거란 말이야!"

"하지만……."

우타하로서는 혼자서 만나는 편이 훨씬 편했다.

자신 혼자라면 상대가 그 어떤 조건을 제시하든, 자신 혼자만의 판단으로 그 상황에서의 최적의 대답을 도출해낼 자신이 있었다.

하지만 에리리는…….

실력은 뛰어나지만 자신의 능력을 제어하지 못하고, 향상심이 있지도 않으며, 한 남자애에게 재능을 좌우당할 만큼 의존하고 있는 약해빠진 크리에이터인 그녀는…….

"이번 주 토요일이라고 했지? 장소는 어디야? 후시카와 서점의 회의실이라면 나도 한 번 가본 적 있어."

"사와무라 양……."

그렇기에 우타하는 에리리의 동행을 거부해야만 했다.

둘 다 오퍼를 거절할 거라면 우타하가 혼자서 거절해버리는 편이 훨씬 나을 것이다.

하지만…….

"따라오는 건 괜찮지만, 리뉴얼 패키지판의 그림은 다 됐어?"

"하하하하, 하루 정도 외출한다고 작업에 차질이 생기지는 않아!"

"……그래."

우타하는 마지막에 망설이고 말았다.

자신의 강함에 자신감을 가지지 못했기 때문이 아니다.

그저, 에리리의 현재 상황에, 선택에, 장래에, 자신감을 가지지 못했기 때문이다.

ACT3

신(神)의, 진심어린 변덕

"자, 여기야. 사와무라 양. 이곳의 최상층이래."

"흐음, 여기는……."

2월 하순, 마지막 주 토요일 점심.

평소 휴일에는 (어디 사는 남자애에게 불려나가지 않는 한) 집에 틀어박혀 있는 인도어파 여자 고교생 두 명은 오늘 드물게도 밖에서 얼굴을 마주했다.

"이곳의 최상층에 있는 일본식 식당이래. 마르즈 측에서 자리를 잡아뒀으니 그냥 들어오면 된다더라구."

"흐으으음, 그렇구나."

"뭔가 거북한 듯한 말투네."

"그야, 상대가 공격해 오는 게 확연하게 느껴지잖아."

"그래?"

두 사람이 서있는 곳은 시내에 있는 한 호텔의 로비였다.

"이곳 최상층에 있는 일본식 식당이라면, 미카게테이지? 점심 메뉴만 해도 만 엔은 가볍게 넘는데다, 몇 달 전에 예약

해야 하는 인기 가게라구."

"잘 아네."

"아빠가 영국에서 온 내빈을 대접할 때 자주 이용하는 가게야. 어릴 적에 몇 번 따라온 적이 있어."

게다가 에리리의 말대로 『동서고금의 일본 고급 호텔』을 뽑는다면 다섯 손가락 안에 들어갈 만큼 비싼 곳이었다.

"뭐, 평소에 정크 푸드만 먹는 카스미가오카 우타하는 모르겠지만 말이야."

"……당신도 평소에는 페트병 홍차에 프렌치프라이 포테이토만 먹잖아. 이 짜가 영국인."

"프렌치프라이가 아니라 칩스라고 말해! 그게 영국 스타일이라구!"

"그거 때문에 화내는 거야? 정말로?"

부자인데도 불구하고 지극히 서민적인 대화를 나누고 있는 두 사람은 쓸데없이 천장이 높은 엘리베이터에 올라타 최상층 버튼을 눌렀다.

마르즈의 스태프가 기다릴 그 장소로 말이다.

"그런데 네 담당 편집자는 안 와?"

"오늘은 결석한대. 그러니 클라이언트 이외에는 나와 당신뿐이야."

"즉, 상대는 체면 따위 차리지 않겠다는 거구나."

"……그럴지도 몰라."

어제, 후시카와 측에서 마치다만이 아니라 아무도 동석하지 않는다는 사실을 전해왔다.

　그것도 마치다가 아니라 편집장이 직접 전화로 알려준 것이다.

　그 전화를 받았을 때, 우타하도 방금 에리리가 말한 것처럼 정치적인 거래가 있었다는 사실을 바로 눈치챘다.

　"여고생 한둘 정도는 간단히 회유할 수 있다고 생각하는 거야. 완전 얕보고 있잖아. ……이제부터 같이 일할지도 모르는 사람을 말이야. 정말 마음에 안 드는 걸."

　"어차피 거절할 거니까 마음에 들어봤자 거북할 뿐 아닐까?"

　"어떻게 박살을 내줄까……. 그래. 우선 요리 가지고 트집을 잡는 거야. 『어머, 이 푸아그라는 예전에 비해 맛이 나빠졌네. 수입산 아냐?』 같은 소리를 하는 거야."

　"허세 부리지 마. 푸아그라와 모래주머니도 구분 못하잖아."

　"그 정도는 해! 씹었을 때 질겅질겅 거리는 게 모래주머니잖아!"

　"평범한 부르주아는 그런 이상한 의성어를 쓰지 않아."

　그리고 푸아그라는 프렌치용 식재료여서 수입산이 본고장 식재료라는 말을 우타하는 하지 않았다.

　　　　　　※　※　※

"자, 발밑을 조심하십시오……."

가게 안에 들어가자, 빌딩 안이라는 게 믿기지 않을 만큼 넓은 정원이 눈에 들어왔다.

강이 흐르고, 다리가 있으며, 잉어가 헤엄치고, 물받이 통이 부딪히는 소리가 울렸다. 하지만 난방이 잘 되고 있기에 도리어 수상쩍은 느낌을 자아내고 있었다.

……그런 우타하의 감상은 이제부터 만날 상대의 이미지 때문에 생겨난 비틀린 견해일지도 모른다.

"이쪽입니다. ……이미 다른 한 분께서는 와 계십니다."

기나긴 복도를 걸은 후, 가장 안쪽에 있는 독실(獨室) 앞에 도착했다.

우타하와 에리리는 잠시 동안 서로의 얼굴을 쳐다본 후, 고개를 끄덕였다. 그리고 동시에 방 안으로 들어갔다.

"아, 왔구나. 나는 먼저 먹고 있어."

"……."

"……."

그곳에는 그녀들이 상상했던 것과는 전혀 다른 광경이 펼쳐지고 있었다.

요리는 이미 차려져 있었다. ……아니, 먼저 온 손님의 몫은 이미 비워졌다는 말이 올바른 표현이리라.

테이블 한 가운데에 놓인 한 되짜리 술병은 거의 비어 있었다.

그리고 아마 이 상황을 혼자서 만들어낸 원흉은 당당하게 상석에 홀로 앉아, 지금도 술과 요리를 탐닉하고 있었다.

　"자, 앉아서 먹어. 오늘은 예의나 격식 같은 건 차릴 필요 없다구."

　"……그래도 조금은 예절이라는 걸 지켜주시는 어떨까요? 코사카 씨."

　"뭐?! 이 사람이 코사카 아카네? 거짓말?!"

　겉으로 보기에 나이는 서른 전후.

　작은 키에 슬렌더 체형.

　긴 머리카락을 머리 뒤편에서 묶어 약간 중성적인 분위기…… 아니, 지금의 행동거지는 그야말로 아저씨 같았다.

　"그런 건 귀찮다구. 어차피 오늘 이 자리에는 우리 셋밖에 없잖아."

　"하지만 마르즈와의 회의라고 들었는데……."

　"그 녀석들이 있어봤자 귀찮을 뿐이야. 어차피 내 결정을 뒤집지도 못하거든."

　"저, 저기, 카스미가오카 우타하……."

　"왜?"

　"진짜로, 이게 『그』 코사카 아카네야……?"

　"나한테 묻지 마……."

　우타하도 에리리도 무례한 행동에는 일가견이 있지만, 그런 자존심(?)을 뿌리째 뽑아버리는 듯한 행동거지였다.

　뭐, 그것을 통해 이 교섭에서 우위에 설 수 있는지에 대해서는 매우 의문이 들지만 말이다.

　"오래간만이네, 카스미 선생. 너도 한 잔 할래?"
　"대체 무슨 속셈인거죠?"
　"응~?"
　갑자기 고등학생에게 술을 권하는 아카네의 말을 끊은 우타하는 자리에 앉지도 않은 채 무례하기 그지없는 중년 여성을 내려다보며 차가운 목소리로 말했다.
　"제가 오늘 여기에 온 건 마르즈가 후시카와 서점 측에 고개를 숙이며 애원했기 때문이에요. 정말 내키지는 않지만 후시카와 서점 분들의 얼굴에 먹칠을 할 수도 없기 때문에 어쩔 수 없이 나온 거죠."
　"정말 악랄한 수법이네~. 어른들은 정말 더럽다고 생각하지?"
　"……예. 지금 이 순간 그렇게 생각하고 있어요. 앞으로도 이런 태도를 취하겠다면, 이야기를 들어보지도 않고 돌아갈까 합니다만……."
　"좀 봐줘. 일주일 동안 술도 밥도 못 먹었단 말이야."
　"네? 그게 무슨……."
　"너희가 오늘밤에 시간이 없다고 했잖아……. 오늘 아침에 겨우 완성했어."
　아카네는 자신의 가방에서 커다란 봉투를 꺼내 상 위에 던져놓았다.

쿵 하는 묵직한 소리가 봉투 안에 든 내용물의 분량을 알려주고 있었다.

"이게 뭐죠……?"

"30분 안에 읽어. 그 동안 영양 보충 좀 할게."

"잠깐만, 우리는 이런 이야기를 하러 온 게……."

개발자료 같은 느낌의 서류를 본 우타하와 에리리는 당혹스럽다는 듯이 서로의 얼굴을 쳐다보았다.

하지만 아카네는 그런 두 사람의 반응을 전혀 개의치 않으면서 점원을 부르더니, 술과 요리를 추가로 주문했다. 그리고 담배에 불을 붙이더니 완전히 휴식 모드에 들어갔다.

"저기…… 어떻게 할 거야?"

"하지만…… 이대로 돌아갈 수도 없잖아."

완전히 독기가 사라진 두 사람은 눈앞에 있는 무례한 인간을 쳐다보다가, 어쩔 수 없다는 듯이 자리에 앉았다.

아니, 어쩔 수 없다고 생각했을지도 모르지만, 그녀들에게 또 하나의 감정이 존재하지 않았다고 딱 잘라 말할 수는 없을 것이다.

그도 그럴 것이, 그녀들의 눈앞에 있는 것은…….

『필즈 크로니클 최신작(가제) 기획서(제1판) 20XX/02 코사카 아카네』

프로가 만들어낸 결정체인 것이다.

"의견이 있다면 거침없이 말해줘. 뭐, 아무짝에도 쓸모없는 레벨의 의견이라면 인정사정 봐주지 않고 박살 낼 거지만 말이야."

"잠깐! 우리는 아직 보겠다고는 한 마디도…… 왜 열어보는 거야! 카스미가오카 우타하!"

어느새 우타하가 열어본 봉투 안에는 예상대로 두꺼운 종이 다발이 들어 있었다.

"어, 사와무라 양은 안 볼 거야?"

"하지만, 봐버리면……."

"……보고 싶지 않은 거야?"

"…………."

두 사람은 그 서류를 눈앞에 두고도 여전히 주저하고 있었다. 하지만 그녀들의 『본성』에 따라, 떨리는 손으로 그 서류 다발의 페이지를 넘기기 시작했다.

첫 페이지부터 한 동안은 이미지 보드의 일러스트가 그려져 있었다.

한 장의 그림에서, 그 세계의 끝없는 광대함과 높이와 깊이를 느꼈다.

한 장의 그림에서, 그 세계를 가득 채운 모든 색채를 느꼈다.

한 장의 그림에서, 그 세계에 생활하는 사람들의 숨결을 느꼈다.

"……."

"……."

그저 아무 말 없이 페이지를 넘겼다.

아니, 에리리는 어느새 종이 다발을 고정한 클립을 빼더니, 방 안에 일러스트를 펼쳐보기 시작했다.

그리고 한 장 한 장을 일어선 채 보거나, 바닥에 얼굴을 대며 뚫어져라 응시하거나, 불빛에 비춰봤다.

우타하는 문자로 표현된 설정을 세세하게 읽어보면서 짜증내듯 다리를 떨어댔고, 머리카락을 만지작댔으며, 세세한 감상을 입에 담았다.

이미 그 자리에 있는 이는 무례한 클라이언트 때문에 분노를 느낀 게스트가 아니라, 맛있는 먹이를 발견하고 침을 줄줄 흘리는 행복한 크리에이터에 불과했다.

※　※　※

"그럼, 의견을 들어볼까?"

어느새 아카네가 지정한 30분이 순식간에 지나갔다.

"……."

"……."

할 말은 산더미처럼 있었다.

하지만 다 읽은 후, 두 사람은 그것을 말해도 될지 주저했다.

이런 엄청난 레벨의 기획에 자신들이 의견을 내도 되는 것인가, 라는 망설임.

그리고 의견을 낸 이상, 이 기획에 흥미를 가지고 있다는 사실을 들키고 말 것이라는 두려움.

"이걸 저희에게 보여줘서…… 뭘 어쩔 생각인 거죠?"

그래서 우타하가 쥐어짜낸 듯한 목소리로 한 말은 시간벌기에 지나지 않았다.

"죽어."

"뭐?!"

그래서 아카네는 우타하가 도망치는 것을 허락하지 않으며 더욱 몰아붙였다.

"이게 너희가 모든 것을 바칠 작품이야……. 앞으로 1년 동안 이 작품만 생각하고, 이 작품만을 위해 살고, 이 작품의 완성만을 위해 목숨을 바쳐."

"갑자기 무슨 소리를 하는 거야!"

에리리의 분노에서도 박력이 느껴지지 않았다.

왜냐하면 알고 만 것이다.

이 기획이, 이 작품이…….

코사카 아카네가 저런 소리를 할 수 있게 할 정도의 퍼텐셜을 지녔다는 사실을 말이다.

"카시와기 에리."

"으……."

처음으로 에리리를 쳐다본 코사카 아카네는 그녀와 시선을 마주하면서 말했다.

그 눈은 단순한 술주정뱅이 여자치고는 너무나 날카롭고

강렬했으며, 단숨에 상대를 집어삼킬 것만 같은 박력으로 가득 차 있었다.

"『cherry blessing』의 최종 시나리오에는 지금까지와는 터치가 전혀 다른 그림이 일곱 장 있었지? 이번 캐릭터는 그 노선으로 갈 거야."

"뭐…….'

코사카 아카네가 자신들이 만든 게임을 플레이했다는 것은 우타하에게 들었다.

하지만 인사치레 삼아 수박 겉핥기식으로 잠깐 해봤을 거라는 생각을 품고 있었다.

"한 번 더 『그때』처럼 목숨을 불태워……. 그럴 수 없다면 너를 영입한 의미가 없어."

"의뢰를 받아들이겠다고는 한 마디도 안 했잖아!"

설마 이렇게 깊은 곳까지 꿰뚫어보고 있을 거라고는 꿈에도 생각하지 못했다.

"하지만 그 그림을 그린 이상, 너는 지금의 서클에는 있을 수 없는 존재가 되었을걸?"

"뭐……?"

"이대로 있다간 언젠가 서클 대표도 네 재능을 끌어내지 못할 거야. 네가 추구하는 레벨은 점점 그들의 실력과 괴리되면서 서로를 상처 입힐 테고, 결국……."

"그렇지 않아!"

정말, 생각도 하지 못했다.

코사카 아카네가 『blessing software』와 카시와기 에리가 안고 있는 문제의 근본적인 부분까지 파악하고 있을 줄이야.

"그리고 지금의 카시와기 에리에게 겨우겨우 따라올 수 있을지도 모르는 게 바로 너야. 카스미 우타코."

"뭐……."

"너에게는 그녀의 힘을 이끌어낼 촉매로서의 역할을 기대하고 있어. 그리고 성장기인 그림쟁이는 마음이 무너지기 쉬우니까, 친분이 있는 네가 서포트를 해줬으면 해."

바로 그때, 우타하는 에리리가 받은 것 이상의 충격을…….

아니, 굴욕을 받았다.

"내가…… 사와무라 양의 들러리……?"

"『cherry blessing』의 시나리오에 감동한 건 사실이야. 하지만 카시와기 에리가 우리 쪽에 오지 않는다면 너를 고집할 이유는 없어."

"으……."

우타하는 카시와기 에리의 팬이었다.

그녀가 그리는 그림을, 여자애의 귀여움을, 화려함을, 누구보다도 좋아한다고 자부했다.

하지만 자신의 가치가 카시와기 에리에 의해 부정당하는 것을 바란 적은 없었다.

"카, 카스미가오카, 우타하……?"

"……."

에리리는 입술을 부들부들 떨고 있는 우타하를 겁먹은 눈동자로 올려다보았다.

그 사실을 알면서도 우타하는 이 부정적인 태도를 고칠 수가 없었다.

왜냐하면, 크리에이터라면 한 수 아래라는 말을 듣고 가만히 있을 수는 없기 때문이다.

"나, 나는 맡지 않을 거야……."

겁먹은 에리리는 우타하를 바라보면서 쥐어짜내듯이 말했다.

"그러니까, 다른 일러스트레이터를 찾아봐……."

그래서 에리리의 그 거절이 누구를 위한 것인지, 이 자리에 있는 인간조차 알지 못했다.

"그래? 네가 맡지 않는다면, 그 기획서는 이 자리에서 불쏘시개가 될 거야."

"……그거, 협박이야?"

"아니. 하지만 처음부터 카시와기 에리의 그림을 전제로 짠 기획이거든. 기대치를 능가하는 작품을 만들 수 없다는 걸 알고 있는데 왜 하겠어."

그 사실을 아는지 모르는지 알 수 없지만, 아카네는 유감스러운 표정을 짓지 않았다. 그러기는커녕 묘한 미소를 지으면서 엉뚱한 소리를 꺼냈다.

"……그렇게 간단히 버릴 만 한 건 아니잖아? 이것에 얼마나 많은 에너지를 쏟아 부었는지, 나도 알 수 있다구!"

"에너지 낭비 같은 건 이쪽 업계의 일을 하다 보면 밥 먹듯이 하게 된다구~."

　그렇게 말한 아카네는 낭비한 에너지를 보충하려는 것처럼 추가한 요리를 그 가격에 걸맞지 않게 상스럽게 먹어댔다.

　"나는 내가 100퍼센트 즐길 수 있는 작품을 만들고 싶어. 그러기 위한 다소의 희생 정도는 감수할 수 있다구."

　"당신은 그렇게 수많은 크리에이터를 스카우트하고, 압박을 줘서 망가뜨린 거야……?"

　아카네의 눈에 들어 스타덤에 오른 크리에이터는 셀 수도 없을 만큼 많다.

　하지만 우타하가 지적한 대로, 아카네의 눈에 들었으면서도 그녀의 기대에 부응하지 못해 무너지고 만 크리에이터는 알려진 숫자만으로도 성공한 이의 몇 배에 이른다.

　그러므로 우타하와 에리리가 그쪽이 될 가능성은 훨씬 높았다.

　"전력을 다해 싸운 후, 그 탓에 무너진 거라면 평생 동안 돌봐줄 거야. 우리 사무소는 그런 인간을 부양하기 위한 회사거든."

　"그런 게 크리에이터로서의 행복이라고 할 수 있을까……?"

　"그런 건 개개인이 생각해볼 문제야. 작품 제작을 밥벌이 수단으로 생각한다면 내 밑에 들어와선 안 돼. 하지만 작품으로 자신의 야망을 이루는 게 목적이라면, 이기기 위해 고장 날 때까지 전력을 다하는 건 당연한 거잖아?"

　"으~."

무서웠다.

기분 나빴다.

너무나도 인간미가 넘쳐서, 도리어 인간미가 전혀 느껴지지 않았다.

"나, 나는…… 못해."

"사와무라 양……."

그래서 가장 먼저 무너져 버리고 만 이는 이 자리에서 가장 약한 소녀였다.

"이 기획은 확실히 엄청나지만, 흥미가 있지만…… 그래도 지금의 나는 그런 압박감을 견딜 수 없어."

"그렇게 높은 레벨을 원하는 건 아닌데 말이야. 그저 네가 나스…… 아니, 그 게임의 종반부에 쓰인 그림의 레벨만 유지해준다면……."

"무리야! 그릴 수 없다구!"

그 겨울, 자신이 엉망진창이 될 때까지 몰아붙인 끝에 도달한 경지를 아카네가 『그렇게 높은 레벨이 아니다』라고 말했다는 사실을 눈치채지 못한 에리리는 울상을 지으며 외쳤다.

"뭐? 왜 그래? 혹시 약간 슬럼프야?"

"약간이 아냐! 한계야! 두 번 다시 그런 건 그릴 수 없어!"

"사와무라 양, 그건……."

그 순간, 우타하는 에리리를 나무라는 말을 입에 담으려 했다.

아무리 에리리의 편일지라도, 방금 그 발언만큼은 용인하고 싶지 않기 때문이다.

에리리가 자신의 한계를 이렇게 간단히 결정짓는 것을 바라지 않기 때문이다.

하지만—.

"아하하! 얕보지 말라고, 이 허접쓰레기야!"

"뭐?!"

우타하를 대신해 에리리를 질책한 이는 바로 눈앞에 있는 적이었다.

"너, 아직 성장 도중이잖아~! 겨우 한 번 변신했다고 슬럼프라고 생각하는 거냐? 그림쟁이를 너무 얕보는 거 아냐?"

우타하조차 아연실색할 정도의 그 폭언은 남자 말투에 가까웠다.

"실은 말이야! 이쪽은 레벨이 두 단계 정도 더 올라간 그림을 기대하고 있다고! 하지만 꾹 참으며 지금 레벨로 충분해~ 같은 소리를 하며 저자세로 나갔더니, 대차게 기어오르네!"

그리고 크리에이터에게 요구하는 높은 레벨과 제멋대로에 가까운 주장은…….

"그건 슬럼프도 뭐도 아냐~! 그냥 네 실력이 허접한 것뿐이야! 안정적으로 그리지 못하는 것뿐이라고! 실력이 쫓아가지 못하는 것뿐이란 말이다!"

그리움마저 느껴질 만큼, 어디 사는 누군가를 방불케 했다.

"그런데 한 번 그려버렸으니 눈만 높아져서, 이런 건 내 그림이 아냐~. 내 그림이 아니라구~ 하고 떠들어대기는……. 뭐, 쪽팔린 건 눈치챈 것 같으니 조금은 진화한 거네. 아하하하하하하하하하하하하하하하하하하하하~!"

아니, 그 『누구 씨』조차도 이런 폭언을 입에 담지 않았다.

"그만해……. 그만하라구……!"

"적당히 해, 코사카 씨……."

어딘가에서 들은 듯한 폭언 때문에 완전히 흐트러진 에리리는 머리를 감싸 쥔 채 주저앉았다.

그리고 그런 에리리를 감싸듯 꼭 끌어안은 우타하는 입술을 떨면서 아카네를 노려보았다.

하지만 여고생 두 명의 감정이 눈앞에 있는 괴물 크리에이터를 꿰뚫을 수 있을 리가 없었다…….

"아니, 그치만 카시와기 에리의 그림은 그렇잖아? 그런 느낌 맞잖아?"

겨우 폭언을 멈춘 아카네는 가방에서 또 하나의 종이 다발을 꺼내더니 두 사람을 향해 집어던졌다.

"……이건, 뭐야?"

"아, 아, 아……."

그 종이 다발은, 두 사람을 혼란과 절망과……,

그리고, 열락의 소용돌이로 빠뜨렸다.

『cherry blessing ～돌고 도는 은혜의 이야기～ Prologue
코사카 아카네』

100장이 넘는 그 종이 다발은 바로 동인 원고였다.

프로인 코사카 아카네가 그린 만화 작품이지만, 그래도 그
것은 동인이었다.

"그러니까, 너희 작품에 감동했다고 말했잖아. 아직도 안
믿는 거야? 카스미 선생님?"

"하지만, 하지만 이건……."

그것은 『cherry blessing』의 2차 창작이다.

토모야가 기획하고, 우타하가 시나리오를 썼으며, 에리리가
원화를 그린 게임 작품에서 영감을 얻어…… 아니, 거의 그대
로 그린 만화 작품.

즉, 동인 코미컬라이즈였다.

"당신, 대체 무슨 짓을 한 거야……."

"응～? 너희도 하는 거잖아? 나, 카시와기 선생님의 『그 눈
의 프리즘』 책도 가지고 있어."

"그런 레벨의 이야기가 아니잖아……!"

그렇다. 이 원고는 여러 가지 의미에서 레벨이 이상했다.

동인 작품의 2차 창작 같은 것은 보통 있을 수 없다.

있다고 해도 그것은 상업 작품을 능가하는 『전설』을 만든 작품뿐이며, 현재 『blessing software』의 작품으로 2차 창작을 하려는 정신 나간 동인 작가는 있을 리가 없다.

그리고 그런 정신 나간 짓에 전력을 기울인 이가 바로 상업 세계에서 여왕으로 군림하고 있는 코사카 아카네라니, 말도 안 된다.

"대체…… 얼마나 수고를 들인 거야……."

"으음, 신정부터 3일 간은 휴가였거든. 그때 네임 작업을 하고, 남은 건 다른 작업 도중에 틈틈이 했어."

조금이라도 오타쿠 취미를 지닌 이라면 코사카 아카네의 작업량을 알 것이다.

취미에 불과한 동인 활동을, 그것도 행사 때 파는 것도 아닌 겨우 몇 명에게 보여주기 위한 원고를 그릴 시간이 존재할 리가 없으며, 존재하는 것이 용납될 리가 없었다.

"카시와기 에리의 현재 그림체를 그대로 코믹화하는 것은 꽤 귀찮았어……. 옛날 그림체라면 금방 흉내 낼 수 있는데 말이야."

그리고 결정타가 바로 이 동인 원고의 질이었다.

동인 쪽에서 흔한 연필 러프도 없고, 모든 페이지에 펜 작업이 되어 있으며, 권두 4페이지는 컬러였다. 그리고 배경 하나하나에서도 대충 그린 듯한 흔적을 찾을 수 없는 코사카 아카네 퀄리티였다.

그리고 골치 아픈 점은 그것이 틀림없는 『cherry

blessing』이라는 것이다.

그림도, 이야기도 코믹으로 완전히 표현되어 새로운 작품 세계를 구축하고 있었다.

그렇다. 그림도 말이다……

"카시와기 선생님, 어때? 네 그림은 이런 느낌 맞지?"

"으……"

확실히 코믹화하기 위해서 원래 에리리의 그림을 어레인지 하기는 했다.

하지만 그것은 틀림없는, 에리리가 그때 전력을 다해 그린 그림에서 파생된 것이다.

디자인도, 터치도, 처리도, 약간 간략화되기는 했지만, 분명 에리리의 테크닉을 살리고 있었다.

그리고 무엇보다, 그 그림이 오리지널에 버금가는 진정한 이유를 에리리는 깨닫고 말았다.

"나도 그릴 수 있으니까…… 너도 이 정도는 당연히 그릴 수 있겠지?"

"아, 아……"

"사와무라 양……"

인정하고 싶지 않지만, 인정해서는 안 되지만, 인정할 수밖에 없었다.

『영혼』이, 닮은 것이다……

최악의 쓰레기 여자가, 틈틈이, 미친 듯이 그린 작품인데.

천재가, 모든 능력을 총동원해서, 미친 듯이 그린 작품이기 때문에.

"아, 아, 아…… 아아아아아아아아아아아아아아아아아~~~!"

ACT4

폭풍 후의 정적

"······저기, 사와무라 양."

"왜?"

"언제까지 여기 있을 거야? 곧 해가 질 거야."

"시끄러워······. 그렇게 싫으면 너 먼저 돌아가면 되잖아."

"당신, 얼마 전에 감기 걸려서 고생했잖아."

"정말, 시끄럽네······."

마르즈와의 회의······가 아니라, 코사카 아카네와의 대결은 간단히 끝났다.

스케줄이나 보수 같은 계약 관련 이야기는 전혀 하지 않았고, 그저 술주정뱅이의 헛소리에 어울리기만 한 두 시간이었다. 하지만 그 시간 동안 두 사람은 최고급 술을 마시고 취한 듯한 느낌에 휩싸였다.

그래서 두 사람은 그 자리에서 나온 후에도 혼자가 되지 못한 채, 이렇게 취기를 떨쳐낼 겸 오다이바의 바다를 보고 있었다.

"……나는 안 할 거야."

"뭘 말이야?"

물론 우타하는 에리리가 무슨 말을 하는 것인지 알고 있었다.

"그렇게 제멋대로인 여자 밑에서 마음 편히 그림을 그릴 수 있을 리가 없잖아."

그 사실을 알고 있기에, 에리리도 우타하의 질문에 답하지 않았다.

"그리고, 자랑은 아니지만 나는 협조성이 없어."

"그건 진짜로 자랑이 아닐 뿐만 아니라, 엄연한 사실이야."

"그건 너도 마찬가지잖아."

"그건 그래……."

울타리에 손을 얹은 채 바다를 바라보던 에리리는 고개를 돌렸다. 우타하는 울타리에 등을 기댄 채 눈앞에 있는 아쿠아이터 오다이바를 올려다보았다.

지금은 4층에 있는 노ㅇ타미나 숍에서 선행 상영회라도 하고 있을지도 모른다.

"그리고 나는 4월부터 고3인데, 1년을 바치라잖아. 그게 제정신에 할 소리야? 나보고 재수생이 되라는 거야?"

"지금도 수험 준비는 하고 있는 것처럼 보이지 않는데? 당신, 진학할 생각이 있기는 한 거야?"

"시, 시끄러워. 그리고 지금의 나는……."

"그림을 그릴 수 없다는 거야?"

"……"

"나는 그 점에 관해서만큼은 코사카 아카네의 의견에 동의해……. 아니, 동의하고 싶다는 표현이 정답일지도 몰라."

"왜 그딴 녀석의 편을 드는 거야! 너, 분하지도……."

"내가 뭐?"

"……아무 것도 아냐. 아무튼, 나는 안 할 거야."

물론 우타하는 에리리가 하려다 만 말이 무엇인지 알고 있었다.

"저기, 사와무라 양. 만약 나를 배려해서 그러는 거라면 그건 괜한 짓이야."

"……아무 것도 아니라고 방금 말했잖아."

그걸 알고 있기에, 에리리도 그 말을 마음 속 깊은 곳에 밀어 넣었다.

"당신은 자신의 의지로 자신이 어쩌고 싶은지 결정해."

"아까부터 말했잖아. 나는……."

"아니, 당신은 아까부터 할 수 없는 이유만 늘어놨어……."

"뭐……."

"당신은 아직 결정하지 않은 거야. 자신이 앞으로 어떻게 하고 싶은지, 어떻게 되고 싶은지, 크리에이터인 채로 있고 싶은 것인지, 아니면……."

"그만해!"

그렇게 에리리가 갑자기 감정적이 되어 말을 끊었기에, 우타하는 알고 말았다.

에리리가, 진짜로, 아무것도 결정하지 않았다는 사실을 말이다.

"너, 나를 보내고 싶은 거야? 내가 『blessing software』를 관두길 원하는 거야?!"

"딱히, 그런 건……."

"혹시 이것도 계략이야? 내가 서클을 관둔 후, 자기만 살짝 복귀해서 『언제까지 그런 배신자를 생각하고 있을 거야? 이미 5년이나 지났어』 같은 소리를 하는 지뢰 여자처럼 그 녀석의 주변을 배회할 생각이라든가……!"

"그러니까 그럴 생각이 아니라고 했잖아……. 그리고 새치기를 할 생각이라면 언제든지 할 수 있어. 딱히 그런 우회적인 계략을 쓸 필요성조차 느끼지 못한다구."

"항상 위세 등등한 소리를 하지만 마지막 한 걸음을 내딛지 못하고 자폭만 하는 얼간이 여자가 무슨 소리를 하는 건가요~."

"……."

"……."

여전히 시선을 맞추지 않은 두 사람의 대화는 서로의 시선처럼 평행선을 그리고 있었다.

하지만 그렇다고 해서 두 사람의 마음까지 교차되지 않는 것은 아니었다.

"그 녀석은, 싫어……."

"그런 여자를 인간적으로 좋아할 수 있는 사람은 이 세상에 없지 않을까?"

"하지만 그 녀석은 역시 대단했어……."

"솔직히 말하면, 그 만화 원고만은 집에 가지고 가서 가보로 삼고 싶었어……."

"저기, 상상이 돼? 『필즈 크로니클』이야, 『필즈 크로니클』! 그것도, 너와 내가 만든 『필즈 크로니클』이라구!"

"그리고 코사카 아카네도 제작에 참가하지."

"그 기획서 봤지? 대체 얼마나 공을 들인 거야! 아~, 그게 완성되면 대체 어떤 느낌일까……."

"어쩌면 시리즈 최고 걸작이 될 가능성도 있어."

"게다가, 게다가! 코사카 아카네는! 그 기획을! 나를 전제로……."

"……괜찮아, 사와무라 양."

"아, 아냐. 미안해……."

에리리는 아직 취해 있었다.

그래서 마음 속 깊은 곳에 밀어 넣어둔 것이 살며시 얼굴에 드러냈다.

"딱히 당신이 사과할 일이 아니잖아? 코사카 아카네가 당신의 그림을 이미지 삼아 기획한 것도, 당신을 영입하기 위해 겸사겸사 나한테 말을 건 것도, 나를 촉매에 비유한 것도, 전부 상대가 멋대로 한 거잖아."

"자, 잠깐만……."

그리고 그 부주의함은 에리리가 모르는 카스미가오카 우타하…… 아니, 카스미 우타코를 깨웠다.

"당신은 아까 나에게 분하지 않냐고 물었지?"

"그, 그러니까, 그건……."

"그 질문에 대답해줄게……. 분해! 분하다구! 분하지 않을 리가 없잖아!"

"으~~~?!"

에리리가 알고 있는 우타하는 언제나 어른이었다.

어른의 비아냥과 놀림과 독설을 인정사정없이 퍼부어서 에리리를 괴롭혔다.

"당신처럼 상업 데뷔도 하지 않은 동인 그림쟁이의 들러리라는 소리를 듣고, 프로인 내가 아무렇지도 않을 리가 없잖아!"

그래서 에리리는 그런 우타하에게 대항하기 위해 필사적으로 반론하고, 방어하고, 도망 다녔다.

……그리고, 자신이 당해낼 수 없는 존재라 생각하며, 안심했다.

"그러니 만약 당신이 이 프로젝트에 참가하게 된다면, 각오 단단해 해둬……. 정정당당하게 박살 내줄 거니까 말이야."

이런 어른스럽지 못한 우타하를 보는 것도, 듣는 것도, 상상한 적조차 없었다.

"저, 저기…… 그만해, 제발 그만……."

"자, 끝! 이걸로 끝이야."

"……뭐?"

하지만 어른스럽지 못한 우타하는 순식간에 사라졌다.

그리고 지금 이 자리에 있는 이는 방금 이곳에 있었던 그녀와는 다른, 평소와 다름없이 시니컬한 미소를 짓고 있는 우타하였다.

"이걸로 내 결의 표명은 끝났어. 이제 결정은 당신이 해. ……그럼 안녕."

우타하는 에리리의 머리를 가볍게 두 번 정도 두드린 후, 역을 향해 걸음을 옮겼다.

"그게…… 무슨 소리야?"

"응~?"

에리리는 멀어져 가는 그녀의 등을 버림받은 어린애 같은 눈길로 쳐다보았다.

"내가 한다고 하면, 너도 하겠다는 거야?"

"뭐, 그런 식으로 말한 것 같긴 하네."

"내가 거절하면, 너도 거절할 거야?"

"그야 당신이 거절하면, 이 기획 자체가 없었던 게 되잖아."

"그게 뭐야! 결정권을 나한테 완전히 떠넘겨 버리는 거야?"

"사와무라 양, 처음부터 나에게는 선택지가 존재하지 않았어."

마지막으로 등을 보이며 선 채 에리리를 놀리듯 가볍게 손을 흔든 우타하는 그대로 사람들 사이로 사라졌다.

"잠깐! 기다려, 카스미가오카 우타하! 너, 남을 잔뜩 부추

겨 놓고 그런…… 으~, 잠깐만 기다리라구~!"

인파 사이에 섞인 후에도, 에리리의 새된 목소리는 초음파처럼 우타하에게 전해졌다.

그 한심한 외침을 들은 우타하는 평소와 마찬가지로 어쩔 수 없다는 듯이 쓴웃음을 지었다. 하지만 평소와는 다른 말을 입에 담았다.

"미안해, 사와무라 양."

우타하에게 선택지는 없었다.

코사카 아카네에게 『카시와기 에리의 들러리』라는 말을 듣기 전부터 존재하지 않았다.

왜냐하면, 『필즈 크로니클』도, 크리에이터의 명예도, 지금의 카스미 우타코에게 있어서는 뒷전이었던 것이다…….

『카시와기 에리와, 다시 한 번 더 콤비를 이루고 싶다』.

그 가장 큰 소망을 이룰 찬스가 그녀에게 굴러왔으니까 말이다…….

※　※　※

"아카네 씨."

"……으응~."

"아카네 씨, 일어나세요."

에리리와 우타하가 오다이바에서 쓰디쓴 감정을 맛보고 있던 바로 그때.

두 사람에게 그런 감정을 느끼게 만든 장본인은 상큼한 미남 보이스를 들으며 기분 좋은 졸음 속에서 현실로 되돌아오고 있었다.

"하아아아암~ 어라, 이오리?"

"이런 고급 음식점에서 왜 졸고 있는 거예요?"

몸을 일으켜보니, 이곳은 몇 시간 전에 회의를 했던 미카케테이의 독실이었다.

주위를 둘러보니, 상 위에는 대량의 접시가 놓여 있었고, 바닥에는 술병이 굴러다니고 있었다.

아무래도 손님을 접대한 후에도 그녀의 『술판』은 계속된 것 같았다.

"하아암~ 일주일 만에 잤네~"

"이제 그런 짓 좀 자제하세요. 이제 무리해도 될 나이가 아니잖아요."

"뭐, 오늘밤부터 사흘 동안 퍼질러 자면서 쉴 거니까 괜찮아."

"그렇다고 여기서 사흘을 보내지는 말라고요. 자, 돌아가죠."

아카네의 황당무계한 『밤샘 자랑』을 가볍게 흘려 넘긴 후, 접시와 술병을 정리하고 있는 젊은 미남의 이름은 하시마 이오리.

그림에도, 문장에도 재능이 없지만, 프로듀서로서의 자질을 아카네에게 인정받아 그녀의 서클인『rouge en rouge』를 이어받은, 현재 그녀의 수제자다.

"기다려~ 이오리. 저녁도 여기서 먹고 가자."

"……클라이언트 돈이라고 마구마구 써재낄 생각인가요……?"

그 때, 바쁘게 움직이던 이오리의 손이 갑자기 멈췄다.

"……아카네 씨."

"왜?"

"여기 부른 건 카스미 우타코와 카시와기 에리인가요?"

"……용케도 알았네."

그의 손에는 방구석에 떨어져 있던 종잇조각…… 예의 기획서 중 일부가 쥐어져 있었다.

"그 두 사람을『필즈 크로니클』의 메인 스태프로 삼겠다는 말은 진심이었던 거예요?"

"그러고 보니 카시와기 에리에게 가장 먼저 주목했던 건 너였지……. 이제 와서 하는 말이지만, 네 선견지명은 정말 대단해."

"그런데 그녀들의 서클 대표에게는 양해를 구했겠죠?"

"아~, 나스 고원의 그 애? 그 하렘 대표? 그러고 보니 너에게 버금가는 바람둥이였지?"

"……그건 어디까지나 개인적인 이미지니까 남들한테는 말하지 마세요."

만약 방금 그 말을 그의 옛 절친이 듣는다면 「그 녀석과 똑같이 취급하지 마!」 라고 외치면서 투덜댔을 것이 분명하다.

　그렇다. 지금 이오리가 짓고 있는 표정과 똑같은 표정을 지으면서 말이다.

　"제가 부탁했었죠? 후시카와만이 아니라 『blessing software』에도 인의(仁義)를 지켜달라고요."

　"아~, 그런 말도 했던 것 같네."

　"그럼……."

　"괜찮잖아. 동인 서클한테까지 그럴 필요는 없다구. 어차피 그쪽도 지금의 멤버를 모은다고 뒷구멍으로 상당한 짓을 다 했을 거 아냐."

　"……뭐, 그쪽은 10년 전부터 공을 들여왔으니 상당하긴 하죠. 그래도 일단 양해를 구해달라고요."

　이오리의 설교를 귀찮다는 듯이 흘려듣다 아직도 술이 남아 있는 병을 발견한 아카네는 이번에는 잔을 찾기 시작했다.

　"너 내 성격 알잖아? 후시카와는 자본 관계가 있어서 그랬던 거지만, 원래라면 그런 귀찮은 정치적 배려 같은 건 안 했을 거라구."

　"그러니까 업계 곳곳에 아카네 씨의 적들이 잔뜩 있는 거예요. 잘 나가는 동안에는 그래도 괜찮겠지만……."

　"잘 안 나가게 되면 순순히 길바닥에 엎어져서 죽을 거야. 어차피 이 세계 외의 다른 곳에서는 살 수 없거든."

　"당신은 그렇게 멋대로 죽어버려도 행복하겠지만, 현재 당신이 얼마나 많은 사람들을 먹여 살리고 있는지 알기는 해요?"

아카네의 서클만이 아니라 그녀가 세운 회사의 운영도 돕고 있는 이오리는 그녀가 얼마나 많은 사람들의 위에 서있는지 알고 있다.

그렇기 때문에 코사카 아카네라는 개인과 그 브랜드가 쓰러졌을 때 이 업계에서 일어날 폭풍은 상상도 하기 싫었다.

"아~, 왠지 귀찮아지기 시작했어."

"마음에 든 크리에이터를 전부 자신의 밑으로 데리고 오려고 하니까 그런 거예요. 당신은 자기 손으로 자기 인생을 귀찮게 만들고 있다고요."

"뭐, 이게 다 좋은 작품을 만들기 위해서라고. 아, 이오리도 한 잔 하지 그래."

"……고등학생에게 술 좀 권하지 말라고요."

겨우겨우 술잔 두 개를 발굴한 아카네는 아직 술이 들어가지 않았는데도 아저씨틱한 말투를 쓰기 시작했다.

『필즈 크로니클』을 다시 태어나게 만들 거야. ……나와, 그 아이들이 말이야."

결국 자작으로 남은 술을 전부 마셔버린 아카네는 맛있게 담배를 피우면서 벌러덩 드러누웠다.

그 행동거지는 진짜 아저씨틱했다.

"전작 스태프를 전부 쫓아냈다면서요?"

"내가 기획을 맡는 조건으로 『스태프의 쇄신』을 제시했더니, 마르즈가 그걸 실행에 옮겼을 뿐이야. 선택권은 줬으니까 이런저런 소리를 들을 이유는 없어."

　"쫓겨난 사람들 입장에서는 이런저런 소리가 하고 싶을 거라고요……."

　"예전보다 더 좋은 작품을 만들면 주위도 납득할걸? 그리고 그 명작 RPG 시리즈가 요즘 들어서는 완전히 발전하지 못하고 있잖아. 새로운 아이디어가 전혀 존재하지 않는다구! 캐릭터도, 세계관도 재탕만 하고 있잖아! 작품별로 내용이 변하고 어디로 튈지 모르는 두근거림이 존재하는, 내가 사랑했던 『필즈 크로니클』은 대체 어디에 가버렸느냔 말이야!"

　"……그렇게 『자신이 좋아하는 타이틀의 속편 완성도에 납득하지 못하니 자신이 만들겠다』를 계속하다간, 언젠가 이 세상의 모든 콘텐츠가 코사카 아카네 브랜드가 될 걸요?"

　"예전 필즈 팀이 일을 안 하니 어쩔 수 없잖아."

　"아카네 씨는 여전히 일 안 하는 사람들을 싫어하네요……."

　"내가 가장 싫어하는 사람. 그건 글을 쓰지 않는 작가, 그림을 그리지 않는 일러스트레이터, 일 안 하는 디렉터……."

　"그것도 『재능이 있으면 있을수록 용서할 수 없다』잖아요."

　"능력이 있으면 제대로 발휘하란 말이야, 젠장! 과거의 재산에 파묻혀 살지 좀 말라구~! 일도 안 하면서 인터넷 상에서 잘난 체 하며 존재감만 과시하는 녀석들은 다 죽어버려!"

　"……아니, 저기, 으음……."

"그런 녀석들은 내가 박살내버릴 거야. 숨통을 끊어버릴 거라구. 그 녀석들의 작풍을 흉내 내면서, 그 녀석들보다 뛰어난 작품을 만들어내서, 그 녀석들의 존재가치를 없애버릴 거야. 이 세상에서 잊히게 만들 거라구. 한물 간 놈들로 만들어버리겠어."

맞장구치는 것을 포기한 이오리는 아카네에게서 술을 빼앗았다.

남들 이상의 야망을 지닌 이오리도, 술이 들어가 『진심』이 된 아카네의 야망에는 따라갈 수가 없었다……. 아니, 그 누구라도 이런 이야기를 들으면 질리고 말 것이다.

"전 필즈 팀……. 결국 새로운 회사를 차려서 필즈 크로니클과 『비슷한』 완전 신작을 만든다던걸?"

"그런가요……. 뭐, 잘 된 걸려나요?"

"거 봐. 재능 있는 녀석들이 다시 의욕을 되찾았잖아. 내가 한 짓은 틀리지 않았어. 과거의 영광에서 벗어나지 못하고 얼간이 같은 게임이나 만든다면 또 박살을 내주겠지만 말이야."

잠시 후, 아카네는 편안한 표정을 지으면서 눈을 감았다.

이오리는 사흘은 깨지 않을 듯한 아카네의 표정을 보면서 그녀가 물고 있는 담배를 빼어 들어 재떨이에 눌러 껐다.

"아카네 씨가 하는 말은 지금의 저에게 있어서는 지나치게 스케일이 커요."

"그렇구나……."

"저는 좀 더, 저 자신만을 위해서 서클을 운영하고 싶어요."

"나도 꽤나 자기중심적이라구~."

"당신의 자기(自己)는 너무 거대해요. ……가지고 있는 것도, 지켜야 하는 것도, 목표로 하고 있는 것도 말이에요."

"그러는 너도 톱을 노리고 있잖아? 그럼 그 정도는 견뎌야지."

"저는 좀 더 편하게 서클 활동을 하고 싶다고요……. 그렇게까지 자신을 몰아붙이지도 않고, 그렇게까지 짐을 짊어지지도 않으면서, 동료들과 느긋하게요."

"…………나갈 생각이구나."

"지금까지 신세 많이 졌습니다."

아카네는 여전히 눈을 감고 있었다.

그렇기 때문에 이오리가 고개를 깊게 숙이고 있다는 사실을 알 리가 없었다.

"하지만 이오리, 이건 기억해둬. 네가 이 업계에서 위로 올라가려고 하는 한, 편한 길은 존재하지 않아. 원망 받고, 비판받고, 죽을 고생을 하면서 기어 올라가는 수밖에 없어."

"……그런 귀찮은 건 타인에게 맡기고, 저는 좀 배후 인물 같은 느낌으로 가볼까 해요."

"그렇게 방패막이가 되어주는 파트너가 있으면 좋겠네."

바로 그때, 이오리가 살짝 웃은 것 또한 아카네는 알지 못했다.

"그러고 보니……."

"응~?"

"지금 생각해보니 아카네 씨는 그와 닮은 것 같아요⋯⋯. 나스 고원에서 본 그 바람둥이 하렘 대표 말이에요."

"⋯⋯그럼 그와 나는 더욱 서로를 용납할 수 없겠네."

그 말을 끝으로, 아카네는 이오리의 말에 답하지 않았다.

※　※　※

"자, 커피야."

"고마워⋯⋯."

그리고 그날 밤.

에리리와 헤어진 우타하는 후시카와 서점의 편집부로 향했다.

휴일 밤, 연락도 없이 찾아왔는데도 불구하고, 당연하다는 듯이 회사에 나와 있던 마치다는 우타하를 따뜻하게 맞아줬다.

뭐, 우타하는 그것이 당연하다는 풍조에 대해 이 자리에서 논의할 생각이 없지만 말이다.

"그래⋯⋯. 흔들렸구나."

"미안해⋯⋯."

종이컵을 양손으로 감싸듯 쥔 우타하는 안에 든 커피를 입김으로 식히면서 평소보다 더 정중하게 마치다를 향해 고개를 숙였다.

물론 커피를 대접받고 황송해 하고 있는 것은 아니었다.

"만약 그쪽 일도 하게 되더라도 『순정 헥토파스칼』은 중단하지 않을 거야. 이제 막 시작했고, 이제부터가 승부처잖아."

"알아. 발간 일정도 늦어졌으니까 더는 폐를 끼치지 않을게."

절대 못하게 하겠다면서 그렇게 저항했던 마치다의 호의. 그것을 헛되이 한다는 선택지를 자신이 고르고 말았다는 죄송함 때문에 이러는 것이다.

"그럼 서클 쪽은 어떻게 할 거야? 세 개를 동시에 하는 건 무리잖아?"

"……어차피 나는 곧 졸업하잖아."

가슴 속에서 느껴지는 고통을 무시한 우타하는 아주 약간의 미련을 『어차피』라는 말에 담아 마치다에게 말했다.

"『졸업한 후에도 계속 함께 해줬으면 해!』라고 TAKI 군이 고백한다면 어떻게 할 거야? 너, 거절할 수 있겠어?"

"콜록, 콜록……. 놀리는 거야? 내 반응을 보면서 웃을 생각인 거지?"

"꽤 진심으로 걱정하고 있단 말이야."

하지만 그런 허세가 우타하를 누구보다도 잘 아는 마치다에게 통할 리가 없었다. 결국 우타하는 뜨거운 커피를 벌컥벌컥 들이킬 수밖에 없었다.

"아무튼 후시카와에 보고는 했으니까, 이만 가볼게."

결국 그 미안함 어린 태도를 3분도 유지하지 못한 우타하는 평소와 마찬가지로 언짢은 표정을 짓더니, 자리에서 일어나 돌아갈 준비를 했다.

"……아카네를 만난 거지? 잘 지내?"

"혹시, 아는 사이야?"

하지만 마치다는 기분이 나빠진 우타하를 한방에 봉인할 수 있는 마법의 키워드를 이 자리에서 사용했다.

"대학 시절에 같은 만화연구회 소속이었어. 같이 코믹마켓에 나간 적도 있지."

"그러고 보니 마치다 씨는 나와 같은 소오 대학교였지……."

그 천재 쓰레기 작가가 앞으로 자신이 들어갈 대학의 졸업생이라는 충격적인 사실을 안 우타하는 관자놀이를 손가락으로 누르면서 자신의 불운을 저주했다.

"뭐, 그녀는 그때도 자기 서클을 가지고 있었기 때문에 이^{만화}쪽에는 이름만 올려둔^{rouge en rouge} 거나 다름없는 상태였어……. 아무튼 당시에도 작화 실력과 작화 속도, 그리고 작품의 재미가 정말 엄청났다니깐."

"그리고 당시에도 저렇게 썩어빠진 성격이었어?"

"아냐. 당시에는 전형적인 대형 여성향 동인 작가 같은 애였어. 집이 부잣집인데다 온실 속의 화초처럼 자라서 그런지 속세에 관심이 없고 돈에 집착하지 않으며, 동료 의식이 강하고 권력욕도 없었어. 그저 같은 취미를 지닌 동료들과 즐겁게 활동하고 싶어 했지."

"……그 사람이, 말이야?"

"그 아카네가, 말이야."

그리고 타이밍을 재기라도 한 것처럼, 마치다는 호주머니 안에서 한 장의 사진을 꺼내 우타하에게 내밀었다.

"방에 남아 있는 건 이 사진 뿐이었어."

사진은 즉매회 때 찍은 것 같았다. 사진에 찍힌 네 명의 여성이 당시 동인지에서 인기 있던 작품의 캐릭터 포즈를 중2병틱하게 취하고 있었다.

"……마치다 씨는 변함이 없네."

"주목할 곳은 거기가 아니라는 걸 알면서 그런 소리를 하는 거지?"

짜증이 약간 묻어나는 목소리로 그렇게 말한 마치다가 손가락으로 가리킨 사진의 중앙에는 흑발 롱헤어에 머리띠를 하고, 최근에 어딘가에서 본 듯한 얼굴로 배시시 웃고 있는 여성이……

"…………미안. 이제 됐어. 못 본 걸로 할래."

"이야~ 그래, 그랬지! 당시의 아카네는 지금의 시~양과 헤어스타일이 같았다구~. 아하하."

짜증 섞인 손길로 사진을 돌려준 후, 우타하는 거칠어진 숨결을 진정시키려는 것처럼 조금 식은 커피를 단숨에 들이켰다.

"이건 그녀가 갓 상업 데뷔를 했을 때 찍은 거야. 그리고 이 해 말에 대학을 중퇴하고 본격적으로 프로가 됐을걸?"

마치다의 목소리에는 그리움이 어려 있었다. 이게 정말 좋은 추억이라고. 그리고 두 번 다시 돌아갈 수 없는 과거라고 말하고 있었다.

"그럼 그녀는 프로가 되고 변해버린 거야?"

"뭐, 그렇긴 한데, 그 사이에 조금 시간차가 있어."

"시간차?"

"데뷔작이 느닷없이 100만부 팔리더니 반 년 만에 애니메이션화가 결정된 거야."

"······엄청 순조롭네."

그것은 그 누구라도 질투할 만한 신데렐라 스토리처럼 들렸지만······.

"너무 빨랐어······. 그리고 그녀는 너무 젊었던 거야."

하지만 아무래도 이 신데렐라의 애프터 스토리는 『영원히 행복하게 살았습니다』가 아닌 것 같았다······.

코사카 아카네의 데뷔작인 『고탄다의 추기경(카디널)』(리쿠세이샤 발간)은 발매되고 반 년 만에, 아직 세 권밖에 나오지 않았는데도 약소 출판사인 리쿠세이샤의 첫 100만부 판매 도서가 되었다. 그리고 순식간에 애니메이션화가 결정된 것이다.

출판사와 작가는 첫 애니메이션화라는 쾌거에 흥분했고, 게재 잡지와 HP는 보는 이들이 절로 미소 짓게 만들 만큼 고양감과 친근감으로 가득 차 있었다.

······그렇다. 애니메이션 제작이 구체화될 때까지는 말이다.

애초에 애니메이션 업계와의 연결고리도, 대형 스폰서와의 연결고리도 없었던 약소 출판사와 약소 작가는 『좋은 애니메이션을 만들고 싶다』, 『많은 사람들이 봐줬으면 한다』라는 마음을 가지고 필사적으로 『자신들이 할 수 있는 범위 안에서』 전력을 다해 스태프를 모았다……

그리고 역시 『좋은 애니메이션을 만들고 싶다』는 일념으로 제작현장에 빈번하게 가서, 설정과 디자인, 스토리 등에 관한 『원작 측의 견해』를 전달했다.

하지만 얼마 후, 상대측의 연락으로 회의를 하러 간 그들은 전혀 예상하지 못한 말을 듣고 말았다.

『이쪽은 말이야. 텅 빈 방송 시간대를 메우기 위해 무리한 스케줄로 들어온 일거리를, 개판이라도 괜찮으니 어떻게든 완성시켜보려고 최선을 다하고 있다고요.』

『자기 앞가림도 못하고, 앞가림을 할 생각도 없는 사람들이 시시콜콜 참견을 해대면 정말 곤란하단 말입니다.』

인맥도, 돈도 없는 그녀들의 기획은 비어버린 방송 시간대를 메우기 위해 이용되고 있을 뿐이었다.

처음부터 쓰레기 애니메이션으로 완성할 생각이었던 것이다.

거의 원작을 그대로 가져왔으면서, 중요 대사가 중점적으로

삭제된 각본.

원작의 특징을 철저하게 없애고, 극한까지 간소화된 잡다한 디자인.

그리고 처음부터 쓰레기를 배출할 생각밖에 없으며, 열의라고는 눈곱만큼도 없는 스태프들.

그런 쓰레기 애니메이션이 일반 애니메이션 팬 사이에서 화제가 될 리 없었다. 결국『고탄다의 카디널』은『원작 팬조차 포기한 최악의 애니메이션』이라는 불명예스러운 칭호를 달게되었다.

그렇게 애니메이션이 실패한 것도 실패한 거지만, 그녀에게 있어 가장 아팠던 것은 이 쓰레기 같은 미디어 믹스 때문에 기존의 원작 팬…… 그녀가 가장 소중히 여겼던『동료』를 몇명이나 잃었다는 사실이다.

"……우와."

"그리고 그 후 5년 동안, 아카네는 아무리 작품이 팔려도 다른 미디어로의 전개를 오케이하지 않았어."

그 후, 코사카 아카네는 변했다.

각각의 작품별로 철저하게 계약을 맺었으며, 출판사가 그 계약을 깨면서 멋대로 다른 미디어로 전개하려 하면, 즉시 기존 작품의 판권을 다른 출판사로 옮겨 집필을 계속했다. 그렇게 때가 오기를…… 자신에게 돈과 인맥이 축적되기를 기다린 것이다.

그 동안 작품만 계속 만든 것은 아니었다.

재야의 재능 있는 인재를 찾아 자신의 휘하에 뒀다.

그리고 업계의 구석에서 구석까지 돌아다니면서 힘이 있는 기업을 구분하고, 때로는 자신의 편으로 만들거나, 혹은 인재를 빼앗았다.

그리고 5년 후…….

그때까지 쌓인 코사카 아카네 작품의 미디어믹스가 단숨에 꽃을 피웠다.

그 후의 전개는 전부 그녀가 세운 판권 관리 회사가 주도했다.

주요 스태프를 직접 찾고, 자본에 참가하는 기업도 『참견하지 않고 돈만 내는』 곳만을 엄선했다.

그 후 10년 가까이, 그녀의 미디어믹스에는 실패라는 두 글자가 존재하지 않았다.

"미디어믹스의 여왕, 코사카 아카네는 그렇게 탄생한 거야……."

"그랬구나……. 그녀에게도 그런 괴로운 과거가 있었다는 거야?"

"뭐~, 애니메이션화된 작품의 원작자 중 ●할은 보통 그런

꼴을 당해~. 아하하하하."

"미안하지만 그 비율만큼은 입에 담지 말았으면 했어, 마치다 씨."

"그리고 그 정도 일로 인격이 변할 걸 보면 아카네는 의외로 멘탈이 약한 걸지도 몰라. 뭐, 거꾸로 말하자면 그녀는 그정도 일로 지금의 위치까지 올라왔으니 대단한 거겠지."

"그리고 『유유상종』이라는 말의 신빙성을 방금 맹렬하게 이해했으니, 이제 돌아가도 되지?"

"아무튼, 과정은 어쨌든 간에 현재의 코사카 아카네는 엄청난 괴물이야."

"……뭐, 만나보니 충분히 이해가 됐어."

"그 녀석과 어울린다…… 아니, 싸운다는 건 웬만한 실력이나 멘탈, 혹은 양쪽 다 있지 않으면 무리일 거야."

"그럴지도, 모르겠네."

"시~ 양, 네가 할 수 있겠어?"

"……."

그 질문에 우타하는 대답하지 못했다.

하지만 그것은 자신이 없었기 때문이 아니다.

아니, 그녀에게는 자신이 있었지만…….

그저, 우타하의 뇌리에는 금발의 얼간이 아가씨의 우는 얼굴이 떠올라 있었다.

ACT5

준비실에서의 맹세

『아…….』

『졸업 축하해요…… 우타하 선배.』

3월 길일(吉日)…….

토요가사키 학원, 졸업식.

지겨운 식이 끝나고, 말을 거는 동급생들을 대충 떨쳐낸 후 겨우 교문에 도착한 우타하를 한 후배 남학생이 맞이했다.

『윤리 군이 잠복하고 있을 줄은 꿈에도 몰랐어.』

『어~, 내가 그렇게 매몰찬 놈이라고 생각한 거예요?』

교문 밖으로 나온 우리는 전철역으로 이어지는 길을 단둘이서 걸었다.

벚꽃이 피기에는 아직 이르고, 바람도 아직 차가우며, 작별의 계절이라는 표현도 확 와 닿지 않는 그런 가로수길을, 천천히…….

『할 이야기가, 있어요.』

『아…….』

『나…… 앞으로 우타하 선배와 어떻게 할 것인지 생각해봤어요.』

『그, 그 말은…….』

『더 이상 후배인 건 싫어요. 우타하 선배, 아니, 우타하 씨. 나는……!』

『유…… 토모야 군!』

※　※　※

"예에에에에……?"

『카, 카스미가오카, 우타하?』

"……사와무라 양?"

……그런 결정적 순간까지 『꿈』이 도달한 순간, 격렬한 핸드폰 착신음을 듣고 잠에서 깬 우타하는 언짢은 태도로 전화를 받았다.

참고로 오늘은 졸업식, 사흘 전이다.

『저, 저기…… 지금 시간 있어?』

"사와무라 양, 당신 지금이 몇 시인 줄……."

『응? 오후 세 시인데?』

"……."

우타하는 그제야 자유 등교가 된 이달 초부터, 창문 셔터를 내린 채 밤낮 없이 독서와 수면을 번갈아 반복하기만 했다는 사실을 떠올렸다.

※　※　※

"날이 꽤나 어두워졌네."

"……갑자기 불러내서 미안해."

"괜찮아. 지금은 단 하나의 마감도 존재하지 않는 기적적인 스케줄 공백 상태거든."

제2 미술준비실의 문을 열자, 저물어가는 석양에서 흘러나온 빛이 창문을 통해 쏟아져 들어오고 있었다.

에리리가 『지금 만날 수 있을까?』라고 말하면서 지정한 이 장소는 졸업식 날에나 오게 될 줄 알았던 토요가사키 학원이었다.

수업도 끝나고 인적도 드물어진 교내에서 만난 두 사람은 남들의 눈을 피한…… 것은 아니지만, 누구와도 마주치지 않은 채 미술실 안에 있는 제2 준비실로 이동했다.

"그런데 할 이야기가 뭐야?"

우타하는 미술부의 소굴이자 에리리의 (거의) 개인실이나 다름없는 공간에 왔음에도 평소와 다름없는 태도를 취하며 방 한가운데에 놓인 의자에 털썩 앉았다.

"으, 응. 그게……."

하지만 우타하가 이런 태도를 취할 때마다 항상 언성을 높였던 적은 방구석에 선 채 아무런 리액션도 보이지 않았다.

"그러니까, 저기, 뭐라고 해야 할까……."

"정말, 마치 『그게 안 와』라고 말할 것 같은 태도 취하지 말란 말이야!"

"그게 아냐! 그게 왔단 말이야!"

"그래? 그럼 잘 됐네!"

"……네가 말한 그건 뭐야?"

"……사와무라 양이 말한 그거야말로 뭔데?"

"……그렸어?"

"……그럴지도 몰라."

결국 우타하가 질문을 통해 에리리에게서 알아낸 정보에 따르면…….

"그 때 그 그림을 말이야?"

"터치는 꽤 비슷한 것 같아."

온 것은 바로, 창작의 신(神).

연말에 나스 고원에서 고열로 의식이 몽롱해진 에리리에게 강림했던, 마지막 일곱 장을 완성시킨 재능의 반짝임.

올해 들어 열도 내려가고 소꿉친구와 화해를 하자마자 안개처럼 사라져버렸던, 변덕쟁이의 골치 아픈 능력.

"정말, 이야?"

우타하의 목소리에 자연스럽게 힘이 실렸다.

"아까 집에서 스케치를 해봤더니, 어느새……."

"스케치?! 어디 있어? 보여줘!"

"그게, 저기…… 집에 두고 왔어."

"이 얼간이, 정말 쓸모가 없네!"

"너, 너무해!"

왜냐면, 아마 본인보다도 그것을 기다리고 있었기 때문이리라.

"어쩔 수 없네……. 그럼 가자. 사와무라 양."

"자, 잠깐만 기다려! 아직 이야기가 끝나지 않았다구!"

"아니, 못 기다려! 네 집으로 돌아가는 거야! 나도 함께!"

"……이유가 뭔데?"

"그걸 몰라서 묻는 거야? 그 그림을 봐야만 당신이 진짜로 슬럼프를 극복한 건지 알 수 있기 때문이지!"

스스로도 왜 이렇게 초조한 건지 알 수 없지만…….

그래도 아까까지 느꼈던 졸음을 완전히 떨쳐버린 우타하는 에리리의 손을 잡아끌면서 서둘러 진실 여부를 확인하러 가려고 했다.

"어, 하지만…… 우리 집에 갈 거라면, 네 몫의 저녁 식사도 준비하라고 연락을 해야……."

"저녁 식사 따위 필요 없어!"

하지만 에리리는…….

자신의 로스트 테크놀로지를 재구축했다는 역사적 중대발표를 한 에리리는, 초조해하는 우타하를 괴롭히려는 것처럼 우유부단한 태도를 취하고 있었다.

"하, 하지만 우리 아버지는 외교관이야. 저녁 식사 시간에 친구를 불러놓고 친구 몫의 식사가 준비되어 있지 않다면 아버지 얼굴에 먹칠을 하는 거나 마찬가지라구."

"그런 건 아무래도 상관없어! 이럴 때만 평소에는 전혀 쓰지 않는 상류층 아가씨 속성 사용하지 말고 분위기 파악 좀 해 이 꼬맹아아아아아~!"

"잠깐만! 카스미가오카 우타하, 너, 아까부터 정말 너무하잖아!"

저렇게 우물쭈물하는 이유도 짐작이 되지만, 우타하는 상대의 그런 심층심리에 어울려줄 여유가 없었다.

"그리고 그림을 볼 거면 우리 집에 갈 필요 없어."

"그럼 대체 어떻게 확인을……."

"지금 그리면 되잖아?"

"뭐……?"

에리리는 갑자기 독기가 빠져버린 것처럼 멍하니 서있는 우타하를 개의치 않고 방구석에 있는 이젤을 들고 창가로 이동했다.

"여기에는 도구도 전부 있으니까 금방 시작할 수 있어."

"하, 하지만 사와무라 양. 금방 시작할 수 있어도, 금방 끝나지는……."

우타하가 걱정하는 것도 무리는 아니었다.

왜냐하면 그녀는 에리리가 올해 들어서 그린 일러스트의

숫자를 알고 있기 때문이다.

"으음…… 미안하지만 30분만 기다려줘. ……지금 네 시 반이니까 다섯 시까지 완성할게."

"30분으로는 러프만……."

"30분만, 기다려줘."

"사와무라 양?"

하지만…….

그곳에는 아까까지의, 남에게 의존하기만 하던 우유부단한 피학 타입 여자애는 존재하지 않았다.

캔버스를 세우고 의자 높이를 조절한 후, 안경을 쓴 그녀는 연필을 골랐다.

그 동작 하나하나가 자연스러우며 몸에 배여 있었다.

"4시 37분…… 준비에 7분이나 걸렸네……. 이제 23분 남았어."

"아, 준비 시간은 빼도……."

"지금부터는 아무 말도 하지 마."

"사와무라 양……?"

일러스트레이터로서 당연한 행동만 하고 있지만, 왠지…….

뭐랄까, 매우 멋져 보였다…….

"그럼…… 시작할게."

"윽……."

그 순간, 우타하는 뭔가의 스위치가 켜지는 소리가 들린……

듯한 느낌을 받았다.

※　※　※

"아, 아……."

그리고 30분…… 아니, 23분 동안 있었던 일을, 우타하는 기억하지 못했다.

그것은 그야말로 충격이었다.

겨우 한 장의 캔버스 위에서 움직이는 연필을, 붓을 보고 있었을 뿐이었는데…….

우타하는 그때 무슨 생각을 했는지 이후에도 떠올릴 수 없었다.

"아, 아아…… 아아아……."

연필 한 자루가 캔버스 한 장에 압도적인 기호와 정보를 심었다.

모티프는 평소와 다름없이 아름다운 소녀였다.

포니테일을 한 그녀는 빙긋 웃고 있었다.

정통파 미소녀 같으면서도, 귀여움이 배어나왔으며.

차분해 보이면서도, 미묘하게 활발한 느낌이 들고.

조금 자신 없어 보이지만, 그래도 상냥한 미소를 베어 물고 있었다.

그렇다. 또다시 『cherry blessing ~돌고 도는 은혜의 이야기~』의 메인 히로인.

카노 메구리가, 이 미술준비실에 나타났다.

"……."

어느새 컬러 작업이 시작되었다.

에리리의 손이 너무 빨라서 보이지 않……는 것은 아니지만, 차례차례 바뀌고 있는 그 작업에 우타하는 따라가지 못하고 있었다.

그저, 캔버스에 리얼 타임으로 컬러풀하게 그려지는 그림을 손가락을 문 채 응시할 수밖에 없었다.

아까까지 흑백의 미소녀였던 메구리가 컬러풀한 미소녀로…… 어른으로 변해가고 있었다.

그녀가 올라간 언덕의 끝에는 푸른 하늘이 펼쳐져 있고, 미술준비실 안에 벚꽃이 흩날리기 시작한…… 것 같은 착각이 들었다.

그 순간…… 이 방 안에만, 한 발 먼저 봄이 찾아왔다.

"으……."

우타하는 울고 있었다.

하지만 눈물을 흘리지는 않았다.

그런 짓을 했다간 에리리에게 최악의 약점을 잡히고 말 것이기에 필사적으로 참고 있었지만…….

우타하가 처음으로 에리리의 그림을 본 곳도, 바로 이 준비실이었기에.

그리고 그 후, 우타하는 동인 작가인 카시와기 에리의 은밀한 팬을 1년 반 넘게 계속 해왔었기에.

그렇기에 자신의 응원이 보답 받은 이 순간, 감정이 폭발해 버리는 것은 당연한 일이었다.

그리고, 우타하는, 물어 보았다.

지금 이 자리에 없는, 그리고 지금, 이곳에 있었으면 하는 후배에게…….

『저기, 토모야 군. 당신은 사와무라 양의 이런 모습을 본 적 있어?

그녀가 전력을 다해, 목숨을 불태워가며, 즐겁게 그림을 그리는 모습을, 본 적 있어?

아마 한 번도 없을 거야…….

왜냐면, 만약, 당신이 그녀의 이런 모습을 봤다면.

지켜주고 싶다 같은 그런 불손한 생각을 할 리가 없어.』

『아아, 정말 아깝겠네.

그리고 정말 다행이야.

만약 네가, 지금 이 순간의 그녀를 본다면.

분명 너는 그녀를 또 한 번 사랑할 거야. 그리고 그 사랑이 닿지 않을 거라는 사실을 알고 절망하겠지.

그 후, 자신이 나아갈 길에 대해 고민할 거야.』

『당신은, 사와무라 양을 자신이 가장 잘 안다고 생각하겠지?

하지만 유감스럽게도 당신은 그녀에 대해 눈곱만큼도 알지 못했어.

그녀가 이렇게 강하고, 고귀하며, 아름다울 뿐만 아니라……

이렇게 멋진 일러스트레이터라는 걸, 이 세상에서 유일하게 알지 못하는 피에로야.』

※　※　※

"다 됐어!"

"…………."

"지금, 몇 시야?!"

4시, 58분이었다.

"…………."

"……23분 안에 완성했지?"

"…………."

21분 만에, 완성했다.

"어, 때?"

"…………."

"나스 고원에서 그린 그림을, 따라잡은 것 같아?"

"…………."

따라잡지 않았다.

오히려 뛰어넘었다.

"카스미가오카, 우타하?"

"……."

우타하의 눈에는, 그때 그린 그림보다 레벨이 한 단계 더 올라간 것처럼 보였다.

코사카 아카네가 추구하는 『레벨이 두 단계 더 올라간 그림』에 거의 근접한 것처럼 보였다.

"당신이란 사람은……."

"……응?"

"후후, 후후후……."

"왜, 왜 그래……?"

"아하하하하, 후후, 하하하……."

그래서 우타하는 웃을 수밖에 없었다.

사람은 한 번 한계를 돌파하고 나면 엄청난 속도로 진화할 때가 있다.

하지만 그런 일은 그 인물에게 끝없는 소질이 잠들어있을 때만 일어난다.

지금의 에리리가 그런 상태인 것은 분명 틀림없다.

그리고, 그 상황을 만들어낸 이는…….

짜증나지만, 그 인물은…….

　　　　　※　※　※

　"토모야에게, 뭐라고 말하지……."

　해가 완전히 져서 추위가 몰려오기 시작한 미술준비실.

　전기도 켜지 않고, 의자에 앉지도 않고, 그저 차가운 바닥
에 멍하니 앉아, 차가운 벽에 등을 맡기고 있는 도깨비 화가.

　"저기, 카스미가오카 우타하? 내가 어떻게 하면 좋을까?"

　겨우 21분 만에 두 달 몫의 업무량을 능가한 천재는 신이
떠나가고 나자, 평소와 마찬가지로 피학적 얼간이 여자로 되
돌아왔다.

　"전에도 말했지? 당신이 결정하라고 말이야."

　이렇게 될 것을 정확하게 예상했던 우타하도, 그녀를 이대
로 매몰차게 버리지는 못하겠는지 차가운 바닥과 벽에 몸을
맡겼다……. 즉, 그녀의 옆에 앉은 것이다.

　"토모야, 무리를 해가면서 그리지 않아도 된다고 말했는
데……."

　"그래?"

　"그런데 나는, 그림을 그릴 수 있게 됐어……."

　"다행이네."

　아까부터 몇 번이나 그 이름을 들었을까.

　그것도 가장 듣고 싶지 않은 상대에게서 말이다.

　"어쩌지?! 응? 어쩌냐구!"

"아~ 짜증나네! 사와무라 양, 좀 들러붙지 마!"

"하지만, 하지만……."

정말 짜증났다.

그의 보호욕구를 독점하고, 그에게 어리광을 부렸으며, 시간이 흘러 그에게 의지할 수 없는 상황에 처하자마자, 자신에게 매달리는 이 제멋대로인 꼬맹이에게 말이다.

"그럼 하나 물어볼게. 서클에 남아서도 방금 같은 그림을 그릴 수 있겠어?"

"으……."

하지만 꼬맹이니 어쩔 수 없다.

누군가가 돌봐줘야만 하는 것이다.

"코사카 아카네를 의식하지 않고, 방금 같은 그림을 그릴 수 있겠어?"

"……으!"

지금 이 자리에 그가 없다면, 지금 이 자리에 그녀의 절친이 없다면, 자신이 그녀를 돌볼 수밖에 없다.

"윤리 군이 『그리지 않아도 된다』고 말해도…… 방금 같은 그림을 그릴 수 있겠어?"

"으~~~!"

"그럼 선택지는 두 개 뿐이네……. 그림을 그릴 거라면 서클을 관둬. 서클을 관둘 수 없다면 이제 그림을 그리지 마. ……적어도, 목숨을 걸어가면서 그림을 그리지는 않을 거야."

"……다른 선택지는, 없는 거야?"

"방금, 당신이 직접 없애버렸어. 사와무라 양."

그렇다. 왜냐하면 에리리는 아까부터 우타하가 던진 질문을 듣고, 계속 고개를 저어댔던 것이다.

"작년까지 당신을 떠받쳐온 모티베이션은 윤리 군과의 단절이었어. 자신을 오타쿠의 길로 끌어들인 그가 자신의 재능을 인정해주지 않는다……. 그게 분해서, 그에게 자신이 얼마나 대단한지 알려주겠다는 것이 창작에 있어서 당신이 지니고 있었던 최고의 에너지원이었어."

"그렇게 딱 잘라 말하지 말라구. 이 변태작가야. 정말 배려라고는 눈곱만큼도 없다니깐."

"하지만 그게 충족되어버린 순간, 당신은 더 이상 앞으로 나아갈 수 없게 됐어."

"……."

"윤리 군은 당신에게 그 이상을 원하지 않았던 거야……."

"그렇지 않아. 그림을 그리든, 그리지 못하든, 나는 나인 채로 괜찮다고 말해줬을 뿐이라구!"

"그게 가장 괴로웠던 게 아닐까? ……『카시와기 에리』에게는 말이야."

"으……."

"당신에게는 『blessing software』 안에 있는 자신이 나아갈 길이 보이지 않았던 거야."

"그렇지……."

"바로 그때, 적이 나타났지. ……나아갈 길 정도가 아니라, 언젠가 자신이 도달하고 말 미래까지 의식해야만 겨우 맞설 수 있는 적이 말이야."

"그렇지……!"

"지금, 당신 안에 있는 카시와기 에리는 환희하고 있어……. 그렇게 상대할 맛 나는 적과 싸울 수 있게 되어서 말이야."

"그렇지, 그렇지, 그렇지……!"

※ ※ ※

"나…… 어릴 적에 토모야를 배신했어."

"알아."

미술준비실의 시계는…… 아니, 시계 바늘이 몇 시를 가리키고 있는지 알 수 없었다.

해가 완전히 지자, 어둠과 냉기가 방 안을 지배했다.

"그러니까, 이건 두 번째 배신이야……."

그래서, 에리리의 목소리는 얼어붙었다.

"이제 다음은 없어……. 토모야는 분명, 두 번 다시 나를 용서해주지 않을 거야."

"과연 그럴까……. 뭐, 그럴지도 몰라."

아마도 이 추위 때문이 아니라, 고독감 때문에 말이다.

하지만…….

"하지만, 하지만 말이야. 나는 토모야와 약속했어.

누구나 다 엄청나다고 인정해주는 일러스트레이터가 되겠다고 말이야.

어떤 작가조차도…… 코사카 아카네조차도 능가하겠다고……."

그런 고독감을, 무언가에 자극을 받은 강한 마음이 박살냈다.

"그러니까 이건 배신이지만, 배신이 아냐!

토모야와 한 약속을 지키기 위해 이러는 거니까!

이건 적의 품속에 뛰어들, 절호의 찬스란 말이야!"

"……풉."

"왜 웃는 거야?!"

그것은 지극히 에리리다운 엉터리 논리였다.

그런 말도 안 되고, 자기중심적이며, 자기완결적인 생각을 토모야가, 그리고 일반적인 사람들이 받아들일 수 있을 리가 없다.

왜냐하면 이것은, 크리에이터의 논리다.

"아니, 그걸로 됐어, 사와무라 양……."

그렇게 우타하는 받아들였다.

그리고 아마, 그도 언젠가는 받아들일 것이다.

……뭐, 그때 그의 옆에 누가 있을지는 우타하도 전혀 예상 되지 않지만 말이다.

그 사람이 자신일 가능성도 포함해서 말이다.

그래도 분명 사와무라 스펜서 에리리는…… 카시와기 에리 는 앞으로 나아갈 것이다.

왜냐하면 카스미가오카 우타하는…… 카스미 우타코는, 알 고 있었다.

이렇게 신에게 사랑받은 인간이, 신을 거역할 수 있을 리가 없다.

그녀는 천재이자, 어리석은 크리에이터라는 생물이다.

"한 동안은 괴로운 나날이 계속되겠네."

"각오는, 했어."

"뭐, 엉엉 울고 싶으면 나를 불러. 가슴 정도는 빌려줄게."

"이제 안 울어…… 울 수는 없단 말이야…….."

"딱히 참을 필요는 없지 않아?"

"……그것보다, 너도 빨리 각오를 다져."

"뭐, 나는 4월부터 대학생이니까 어떻게든 될 거야."

"언제까지 얕보일 거야, 카스미 우타코…….."

"사와무라 양……?"

"코사카 아카네가 놓친 게 있어……. 그건 바로 너의 재능, 너의 노력, 너의 포기를 모르는 집념이야!"

"아……."

"카스미 우타코가 얼마나 대단한지 이해 못하는 코사카 아카네 따위, 별 거 아니라구!"

"사와무라, 양……."

이것은 이 세상에서 단 둘만이 아는 일이다.

카시와기 에리가 카스미 우타코의 팬이 된 것은…….

사실 카스미 우타코가 카시와기 에리의 팬이 된 것보다 훨씬 예전이었다.

"둘이서, 코사카 아카네를 쓰러뜨리는 거야……."

"당신이야말로 넋 놓고 있다가 나한테 한 방 먹지 않도록 조심하라구?"

차가운 바닥과 차가운 벽에 몸을 맡긴 채…….

두 사람은 툭 하고 서로의 주먹을 마주 댔다.

에필로그

『정말…… 가버리는 거야……?』

『아…….』

『그래도, 되는 거구나…….』

『메구미……?』

『미안, 미안해……. 남의 집에 와서, 나, 정말 미안…….』

『으…….』

『하지만, 하지만…… 이건 좀, 아니지, 않아……?』

『으~~~!』

『뭔가, 엄청, 잘못 된 거 아냐……?!』

※　※　※

"사와무라 양?"

"…………."

졸업식이 끝나고 사흘 후.

새벽 세 시에 에리리에게서 걸려온 전화를 받고(참고로 깨어 있었다), 바로 택시를 타고 그녀의 집에 온 우타하는 담벼락에 등을 기댄 채 멍하니 서있는 에리리를 금방 발견했다.

"감기 걸릴 거야."

"……"

3월 초의 밤은 여자애가 돌아다녀도 되는 시간도, 기온도 아니었다. 그런 추위 속에서 코트도 걸치지 않은 채 서있는 에리리가 우타하의 눈에는 이상해…… 아니, 누구의 눈에나 이상해 보일 것이다.

"무슨 일 있었던 거야?"

"……"

아까도 말했다시피, 졸업식 날로부터 사흘이 지났다.

즉, 『맹세의 날』로부터 엿새가 지났다.

우타하도 이 일주일 동안 이런저런 일이 있었고, 이런저런 사태가 벌어졌다. 그리고 여러모로 인간관계가 무너져, 여러모로 상처받는 나날이었다.

그래서 에리리가 자신을 부른 이유도, 불러놓고 이런 태도를 취하는 이유도, 얼추 상상이 되었다.

"윤리 군과는 그 후로 이야기 나눴어?"

"……메일은 보냈어."

"윤리 군에게서 답장은 온 거야?"

"……아니."

"오지 않아서, 괴로운 거야?"

"······아니."

그래서 우타하는 말과 타이밍을 고르면서, 천천히, 천천히 이야기했다.

······자신이 졸업식날 밤, 누군가가 그렇게 해주기를 바랐던 것처럼 말이다.

"그럼 윤리 군이······."

"메구미에게, 절교 당했어."

"······아~."

우타하는 맞장구를 치면서도 「그 애가 쳐들어온 거구나······」라는 말이 입 밖으로 나오는 것을 참았다.

"내가 무슨 생각을 하는 건지 모르겠다는 소리를 들었어······."

"뭐, 카토 양이라면 그럴 거야."

"메구미가 그렇게 화낼 줄은, 울 줄은 몰랐어······."

"뭐? 카토 양이 울었다는 거야? 대체 어떤 식으로 말이야?"

"어쩌지? 어쩌면 좋지?!"

분위기 파악을 못한 듯한 우타하의 학술적 흥미를, 절박한 심정인 에리리는 깔끔하게 무시했다.

"솔직히 말해 이렇게 될 걸 당신이 예상하지 못했다는 게 의외야······."

"하, 하지만, 메구미는······ 서클에서만이 아니라, 서클 밖에서도 내 친구라고······."

"그건····· 아무리 봐도 네가 잘못한 거야."

"어째서……?!"

왜냐하면, 그녀는 크리에이터가 아니니까.

왜냐하면, 그녀는 에리리의 절친이니까.

왜냐하면, 그녀는 서클 존속을 바라고 있으니까.

그리고 그녀는, 아마도, 그의 첫째가는 이해자니까…….

"이해할 수 없어도 납득해. 누가 봐도, 그녀가 옳아."

크리에이터를 제외한다면 말이다.

"싫어, 싫어……. 토모야만이 아니라, 메구미도 잃다니……."

결국 참다못한 에리리의 목소리가 떨리기 시작했다.

며칠 전「이제 안 울어……. 울 수는 없단 말이야……」라고
폼을 재면서 말했던 건 대체 누구였을까, 라고 우타하는 생
각하면서도 그 말을 하지 않았다. 그리고 그녀의 어깨에 손
을 얹었다.

"……어?"

그러자 에리리가 우타하의 가슴에 자신의 머리를 맡겼다.

"우에에엥…… 우에에에에엥!"

그리고 일전의 맹세는 잊어버리기라도 한 것처럼, 그리고
둑이 무너지기라도 한 것처럼 눈물과 울음소리가 흘러나왔
다.

"아아아아아…… 후에에에에에에에에에에~!"

"그러니까, 울지 마."

"하지만, 하지만…… 우에에에에에에에엥~."

"분명 네가 잘못했지만…… 나만은 네 편이 되어줄게."

"저…… 정말이야?"

"응. 왜냐면…… 우리는 공범이잖아?"

"카, 카, 카스미가오카 우타하…… 후에에엥, 에에에에에엥……."

"자, 잠깐만……."

"우, 우, 우에에엥, 우에에에에에에엥~!"

"아아, 정말…… 이제 그만 울어, 카시와기 에리!"

어린애처럼, 자신을 끌어안은 채 우는 에리리를 본 우타하는…….

아니, 카스미 우타코는 각오를 다졌다. 아니, 포기했다.

자신은 카시와기 에리의 그림자가 되겠다고.

이 얼간이 공주님의 방패가 되겠다고.

그녀가 재능을, 그리고 자신이 정신을.

각자가 극한까지 성장해서, 그 괴물을 함께 쓰러뜨리겠다고 말이다.

에필로그 2

그리고 4월 첫 주말.

"우에에에에에에에~! 우에에에에에에에엥~!"

"……시끄럽네. 남들이 보는데 부끄럽지도 않은 거야?"

도카이도 신칸센 차내.

"너, 너, 너한테 그런 소리 들을 이유…… 우에에에에에에 엥~!"

"아아, 정말…… 자, 이제 울지 마, 카시와기 에리."

"넋 놓고 있다가 진짜로 한 방 먹었어어어어어어어~!"

아까 토모야에게 배웅을 받고, 『별 것 아닌 해프닝』을 경험한 후에 도쿄 역을 출발한 두 사람은 아직 시나가와 역에도 도착하지 않았는데 난리법석을 벌이고 있었다.

"나는 양보했다고도, 포기했다고도, 응원하겠다고도 말한 적 없어~."

"지금까지의 태도는 전부 기만이었던 거구나아아아아아아~!"

"그건 그거, 이건 이거잖아? 자, 이제 그만 울음을 그쳐.

함께 코사카 아카네를 쓰러뜨리러 가기로 했잖아?"

　"안 해애애애애애애~!"

　"정말. 첫 회의 전부터 이래서야 앞날이 훤하네……. 좀 피곤하니까 단 것 좀 먹을게."

　"안 줄 거야! 이 도○ 바나나는 토모야가 나한테……!"

　"우리한테 준 거 아니었어?"

　"넌 아까 권리를 포기했으니까, 이건 전부 내 거야!"

　"……뭐, 좋아. 사와무라 양, 과자『만』 당신에게 양보할게."

　"그 의미심장한 말은 뭐야?! 역시 너야말로 내 최대의 적이야! 카스미가오카 우타하~!"

■ 작가 후기

안녕하십니까. 마루토입니다.

7권 이후로 오래간만⋯⋯ 아, 두 달밖에 지나지 않았군요. 잡지 연재하는 거냐, 페이스가 너무 빠르잖아, 같은 영혼의 외침을 조금 배려해준 건지는 모르겠지만, 이번에는 『시원찮은 그녀를 위한 육성방법 Girls Side』로서, 반 정도는 작년에 드래곤매거진에서 연재했던 「시원찮은 용호를 위한 대면 방법」을 수록했습니다.

하지만 남은 반은 「그리고 용호는 신에게 도전한다」라는 새로운 에피소드입니다. 현재 애니메이션 관련 숙제가 대량으로 남아있는 마루토에게 있어서는 고개를 휘휘 젓게 되는 상황이었지만⋯⋯ 이건 어쩌면 찬스일지도 모릅니다. 애니메이션 방송 중에 신간 발매로 압도적 성장을 하는 거죠. 스케줄을 짜주신 후지미쇼보 측에는 압도적 감사(죽은 동태 눈깔).

아무튼, 이 시기에 이 이야기를 쓰는 건 스토리로써는 감사한 일이기도 합니다. 이번 GS는 7권에서 그렇게 되어 일부 독자 분들에게 여러모로 복잡한 감정을 느끼게 한 두 사람, 사와무라 스펜서 에리리와 카스미가오카 우타하라는 『잠정』 2대 인기 히로인을 중심으로 구성되어 있죠. 특히 후반부는

7권의 이면, 즉 토모야의 시점에서는 그려질 수 없는 곳에서 벌어진 이런저런 일의 경위랄까, 사정이랄까, 변명이랄까…… 아, 변명은 하지 않겠습니다. 제가 선택한 길이니까요(작가가 말이죠).

그런 GS입니다만, 3권에서 이름만 나오고, 6권에서 사실 등장했던 신 캐릭터, 코사카 아카네가 드디어 모습을 드러냈습니다.

뭐, 쓰기 전부터 꽤나 그렇고 그런 여성 작가의 어둠을 응축해둔 듯한 캐릭터를 이미지했습니다만(마루토는 여성 작가에 대해 아는 바가 전혀 없습니다), 직접 써보니 아줌마, 아니 아저씨 같은 캐릭터가 되어버려 작가가 가장 당혹했습니다. 뭐, 아무튼 앞으로도 잘 부탁드립니다. 분명 8권 이후에서도 자주 등장하면서 나쁜 쪽으로 눈에 띌 것 같으니까요. 본편만 읽어서 '이 아줌마, 누구지?' 라고 생각하지 않도록, 여러분은 이런 외전을 본편과 마찬가지로 사랑해주셨으면 감사하겠습니다(선전).

자, 이렇게 무리를 해가면서 애니메이션 방송 중에 신간을 냈으니(끈질기군), 이쯤에서 애니메이션 관련 이야기를 조금 할까 합니다.

뭐, 이렇게 원작을 구입해주신 분들은 꽤 높은 비율로 시청해주셨을 거라고 믿고 있습니다만, 영상, 연출, 연기, 전부 여러분의 기대를 배신하지 않는 수준이라고 확신합니다(각본은 제외).

영상은 캐릭터 비주얼은 물론이고, 우타하 선배의 검은색 스타킹에 대한 광적…… 아니, 진심어린 추구는 저조차 전율할 정도였습니다.

연출에서는 카토의 스텔스성에 대한 표현과 에리리의 트윈테일 따귀, 우타하 선배의 검은색 스타킹 묘사가 너무 뛰어나 감격했죠.

연기에 있어서는 마츠오카 씨의 엄청난 애드리브, 야스노 씨의 기합이 잔뜩 들어간 어벙 연기, 오오니시 씨가 온몸을 약동시키면서 펼친(진짜로) 츤데레 연기, 카야노 씨의 검은색 스타…… 아, 은근슬쩍 사디스트 연기에 취하고 말 겁니다.

정말, 각본은 어쩔 수 없지만 다른 요소는 최고라고 해도 과언이 아닐 만큼 뛰어나다고 생각하니 앞으로도 계속 시청해주시면 감사하겠습니다(선전).

자아, 마지막으로 연례행사화되고 있는 감사 인사 코너입니다.

미사키 씨, 요즘 들어 저희 둘 다 몸이 축나고 있습니다만, 그래도 건강을 챙깁시다. 건전한 정신은 건전한 육체에 깃든다지 않습니까. 뭐, 크리에이터에게 건전한 정신 같은 건 아무 짝에도 쓸모없(이하 생략).

하기와라 씨, 요즘 들어 저희 둘 다 몸이 축나고(이제 됐어). 저에게 대량의 일거리를 넘길 때, 당신에게도 대량의 일거리가 들어온다는 걸 이제 그만 깨달으세요. 즉, 무슨 말이 하고 싶은 거냐면, 일 더 주세요. 뭐든 할게요(공허한 눈길).

자, 그럼 제2부가 시작되는 8권에서 다시 뵙겠습니다.

2015년 겨울, 마루토 후미아키

■역자 후기

　안녕하십니까. 근로청년 번역가 이승원입니다.
　『시원찮은 그녀를 위한 육성방법』Girls Side를 구매해주셔서 진심으로 감사드립니다.

　정신을 차리고 보니 10월이 되었습니다.
　2015년도 드디어 막바지를 향해 달려가고 있네요.
　올해 제가 뭘 했는지 생각해보니…… 번역, 번역, 통역, 번역, 통역, 번역, 번역, 번역 같은 느낌으로 일만 죽어라 한 것 같습니다.
　물론 그 사이사이에 이런저런 일들이 있기는 했지만요^^.
　이쯤에서 원기충전을 위해 힐링 여행이라도 가고 싶습니다만…… 내년 초까지는 시간이 나지 않을 것 같네요.ㅜㅜ
　그래도 작년에는 이 시기에 마음이 맞는 역자 지인 분들과 온천 여행도 갔는데 말이죠.^^
　아무래도 그런 호사는 내년이 되어야 누릴 수 있을 것 같습니다.ㅜㅜ

　그럼 이번 권에 대한 이야기를 조금 해볼까 합니다. 스포일러가 조금 들어있을 수도 있으니 양해 부탁드립니다!

　이번 권은 시원그녀 시리즈의 양대 히로인, 사와무라 스펜서 에리리와 카스미가오카 우타하의 시점에서 전개되고 있습니다.

　『blessing software』의 양대 축이자, 사랑의 라이벌, 그리고 견원지간인 두 사람의 만남과 앞으로의 미래에 대해 그려나가고 있죠.

　첫 번째 에피소드는 자신들의 정체를 숨기고 있는 두 소녀가 어떤 우여곡절 끝에 서로의 정체를 알게 되었는지가 그려지고 있습니다.

　그리고 그 안에서 아키 토모야의 소꿉친구, 그리고 아키 토모야의 선배가 아니라, 크리에이터 「카시와기 에리」와 「카스미 우타코」라는 존재를 드러내고 있습니다.

　그녀들의 마음속에 존재하는 진심을 즐겨주시길!

　그리고 두 번째 에피소드는…… 그런 두 사람이 「여자」가 아니라 「크리에이터」로서의 미래를 선택하는 이야기라고 생각합니다.

　7권에서의 충격적인 전개, 그 이면에 존재하는 이야기죠. 이 이야기의 중점은 에리리와 우타하가 아니라 최종보스(?) 코사카 아카네라고 생각합니다.

　거물이라는 말이 너무나도 어울리는 존재이자, 천재라 불리는 두 크리에이터를 막아선 벽, 그리고 기폭제라고 할 수 있죠.

지금까지 중점적으로 부각되지 않았던 그녀가 모습을 드러내면서 시원그녀라는 작품은 또다시 스타트 라인에 섰다고 생각합니다.

앞으로 아카네가 어떻게 주인공들을 괴롭혀댈지 정말 기대되는 군요.^^

그럼 이만 줄이겠습니다.

이 작품을 저에게 맡겨주신 L노벨 편집부 여러분. 재미있는 작품을 맡겨주셔서 감사합니다. 카토느님이 거의 나오지 않아 슬프지만, 그래도 즐거웠습니다.ㅜㅜ

작업하다 닭 먹고 싶다고 징징댔더니 닭 사들고 온 악우들이여. 닭은 웰컴이지만, 다른 손에 들고 있는 건 뭐야? 술이지? 또 내 작업실에서 술판 벌일 생각인 거지?!

마지막으로 언제나 제게 버팀목이 되어주시는 어머니와 『시원찮은 그녀를 위한 육성방법』을 읽어주신 모든 분들에게 진심으로 감사드립니다.

이제 스텔스를 때려치운 듯한 카토느님의 진면목(?)이 드러나는 다음 권 역자 후기 코너에서 다시 뵙겠습니다!

2015년 10월 중순
역자 이승원 올림

시원찮은 그녀를 위한 육성방법 GS

1판 1쇄 발행 2015년 11월 10일
1판 4쇄 발행 2017년 10월 25일

지은이_ Fumiaki Maruto
일러스트_ Kurehito Misaki
옮긴이_ 이승원

발행인_ 신현호
편집국장_ 김은주
편집진행_ 최은진 · 김기준 · 김승신 · 원현선 · 김솔함 · 권세라
편집디자인_ 양우연
국제업무_ 정아라 · 고금비
관리 · 영업_ 김민원 · 이주형 · 조인희

펴낸곳_ (주)디앤씨미디어
등록_ 2002년 4월 25일 제20-260호
주소_ 서울시 구로구 디지털로 26길 111 JnK디지털타워 503호
전화_ 02-333-2513(대표)
팩시밀리_ 02-333-2514
이메일_ lnovelpiya@naver.com
L노벨 공식 카페_ http://cafe.naver.com/lnovel11

원제 Saenai heroine no sodate-kata. Girls Side
©Fumiaki Maruto, Kurehito Misaki 2015
Edited by FUJIMISHOBO
First published in Japan in 2015 by KADOKAWA CORPORATION, Tokyo.
Korean translation rights arranged with KADOKAWA CORPORATION, Tokyo.

ISBN 979-11-956241-7-1 04830
ISBN 978-89-267-9771-6 (세트)

값 6,800원

이 사랑과, 그 미래 - 1년째 봄 -

모리하시 빙고 지음 | Nardack 일러스트 | 이진주 옮김

완전 불합리한 세 누나 밑에서 불우한 가정생활을 보내던 마츠나가 시로.
그 지옥에서 도망치기 위해 신설된 기숙 학교에 들어가기로 마음먹은 그는
기대를 품고 히로시마로 향한다. 알지 못하는 지역, 낯선 언어.
그리고 무엇보다도 그 누나들과의 부조리한 나날에서 해방되었다는
고양감에 젖은 시로였지만,
룸메이트가 된 오다 미라이는 복잡한 마음을 가진…… 여성?!
시로와 미라이, 두 사람의 기묘한 공동생활이 시작된다—.

**『시노노메 유우코』 콤비가 보내는
망설임과 애절함 가득한 청춘 스토리.**

라이트노벨의 새로운 빛! ㄴ노벨의 신간은 매월 10일에 발매됩니다. www.lnovel.co.kr

가상영역의 엘리시온 001_싱크로 인피니티

죠치 카즈마 지음 | nauribon 일러스트 | 정흥식 옮김

탁월한 운동신경이 장점인 오빠, 텐료 타이가.
천재적인 프로그래밍 능력이 장점인 미소녀 동생, 텐료 후유키.

8년 만에 한 지붕 밑에서 살게 된 남매는
둘이서 살아가기 위해 필요한 생활비라는 문제에 직면해 있었다.
후유키가 제안한 자금 마련 수단은 바로
사람들의 생활에 깊이 연관되어 있는 중심 시스템 · 전뇌세계
엘리시온의 악질적인 버그를 쓰러뜨려
상금을 벌 수 있는 게임, 구조체 《아리에스》였다.
타이가는 낯선 감각에 당혹을 느끼면서도 타고난 센스로 게임 내에서 무쌍을 벌었지만,
어느 날 후유키의 절친한 친구인 사이온지 루이가
정체불명의 버그에게 습격을 받고 마는데—.
"기다리고 있을게, 왕자님."

전대미문의 치트 남매가 펼치는 하이브리드 배틀 판타지,
지금 시작된다!